AF277779

LEV TOLSTOI

Felicidad conyugal

LEV TOLSTOI

Felicidad conyugal

◆•PEQUEÑOS TESOROS•◆

Cuando Lev Tolstoi concibió Felicidad conyugal *se encontraba en un punto de su vida en el que contemplaba seriamente contraer nupcias. A través de la voz de la protagonista de la novela, el autor ruso intenta analizar cómo sería su propio futuro conyugal y cuál podría ser el papel de la familia en la satisfacción personal.*

Felicidad conyugal *sigue el viaje emocional y de autodescubrimiento de la joven Masha a medida que esta navega por las complejidades de su relación marital con Serguei Mijáilovich, veinte años mayor que ella. La transformación de su perspectiva y sentimientos a lo largo de la historia proporciona una exploración perspicaz de las complejidades de las relaciones humanas y las aspiraciones individuales en el contexto del matrimonio.*

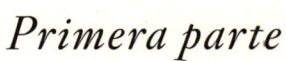

Primera parte

*K*atia, Sonia y yo llevábamos luto por nuestra madre, que había fallecido en otoño. Pasamos aquel invierno solas en la aldea.

Katia, una antigua amiga de la familia, era nuestra institutriz; nos había criado a todos y yo la recordaba y quería desde que tenía uso de razón. Sonia era mi hermana menor. Pasábamos aquel invierno triste y sombrío en nuestra casa de campo. Hacía frío, soplaba el viento y la nieve se había acumulado hasta las ventanas, que, casi siempre, estaban empañadas y cubiertas de escarcha. Casi no salíamos, no íbamos a ningún sitio. Raras veces venían a visitarnos, pero si alguien lo hacía no era para traer alegría a nuestra casa. Todos estaban tristes, todos hablaban en voz baja como temiendo despertar a alguien, y nadie reía. Se oían suspiros y con frecuencia se echaban a llorar al mirarme y, sobre todo, a la pequeña Sonia, con su vestidito negro. Aún parecía sentirse la muerte en la casa; la tristeza y el horror flotaban en el ambiente. El cuarto de mamá estaba cerrado. Cuando pasaba junto a él para ir a acostarme, me daban escalofríos y algo me impulsaba a echar un vistazo a esa habitación gélida y deshabitada.

Por aquel entonces tenía diecisiete años. El año de su muerte, mamá había querido que nos trasladáramos a la capital para que yo empezara a frecuentar la sociedad. La pérdida de mi madre constituyó una terrible desgracia para mí, pero debo confesar que precisamente por ella comprendí que era joven y bonita, cosa que me decían todos. Y, sin embargo, ya era el segundo año que pasaba en la soledad del pueblo. Hacia fines de invierno, mi tristeza y aburrimiento llegaron al extremo de que dejé de salir de mi habitación; no abría el piano ni cogía un libro. Cuando Katia me rogaba que me ocupase de algo, le respondía: «No tengo ganas, no puedo.» Una voz interior me decía: «¿Para qué? ¿Para qué emprender algo cuando pierdes los mejores años de tu vida de un modo tan absurdo?» A este «¿Para qué?» solo respondían las lágrimas.

Todos decían que había adelgazado y estaba desmejorada, pero eso no importaba. ¿Para qué? ¿Por quién iba a preocuparme? Tenía la sensación de que mi vida entera debía transcurrir así, en aquel solitario rincón, en un perpetuo hastío del que no tenía deseos ni fuerzas para evadirme. Al terminar el invierno, Katia, preocupada por mi salud, decidió llevarme al extranjero a toda costa. Pero para eso hacía falta dinero. No sabíamos a ciencia cierta lo que nos había dejado mi madre y esperábamos de un día a otro la llegada del tutor, que debía esclarecer nuestra situación. Llegó en marzo.

—Gracias a Dios, por fin ha llegado Serguei Mijáilovich —me dijo Katia un día en que yo vagaba como una sombra, desocupada, sin pensar en nada—. Ha mandado preguntar por nosotras. Quiere venir a la hora de comer. ¡Anímate, Mashenka! ¿Qué va a pensar de ti? ¡Os quería tanto a toda la familia!

Serguei Mijáilovich era vecino nuestro y amigo de mi difunto padre, aunque mucho más joven que él. Su llegada cambiaba nuestros planes y nos ofrecía la posibilidad de marcharnos de la aldea; además, desde mi infancia me había acostumbrado a respetarle y le tenía afecto. Al aconsejarme que me animase, Katia adivinaba que, de todos nuestros conocidos, Serguei Mijáilovich era la persona ante quien me habría importado más presentarme bajo un aspecto desfavorable. Todos los de la casa, empezando por Katia y Sonia —que era ahijada de Serguei Mijáilovich— hasta el último de los cocheros, le queríamos por costumbre. Por otra parte, su persona tenía para mí una importancia extraordinaria por unas palabras que oí decir a mi madre. Le había dicho en una ocasión que hubiera deseado para mí un marido como él. En aquella época, eso me había parecido extraño y hasta desagradable. Soñaba con un galán delgado, pálido y triste. En cambio, Serguei Mijáilovich era de cierta edad, grueso y al parecer de carácter alegre. Pero, a pesar de todo, esas palabras me habían hecho impresión, y seis años atrás, cuando yo tenía once y él me hablaba de *tú*, jugaba conmigo y me llamaba niña-violeta, me preguntaba a veces, no sin temor, qué haría si quisiera casarse conmigo.

Serguei Mijáilovich llegó antes de la hora de comer. Katia había mejorado el menú, preparando una salsa de espinacas y un pastel de nata. Vi por la ventana que nuestro tutor se acercaba a la casa en un pequeño trineo; pero tan pronto hubo doblado la esquina, me apresuré a entrar en el salón; quería fingir que no le había esperado en absoluto. No obstante, al oír su recia voz y sus pasos, desde el recibidor, no pude dominar mi impaciencia y corrí a su encuentro. Risueño, con la mano de Katia entre las suyas, hablaba en voz alta. Al verme se interrumpió. Durante un momento me miró sin decidirse a saludarme. Me sentí cohibida y noté que enrojecía.

—Pero ¿es posible que sea usted? —exclamó en ese tono sencillo y resuelto que le era habitual, mientras abría los brazos y se acercaba a mí—. ¿Cómo es posible cambiar así? ¡Cuánto ha crecido! ¡Vaya! La violeta se ha convertido en un verdadero rosal.

Me estrechó la mano con fuerza, casi haciéndome daño, con la suya, muy grande. Pensé que me la iba a besar y me incliné hacia él, pero se limitó a estrecharme la mano de nuevo y a fijar sus ojos de expresión firme y alegre en los míos. Hacía seis años que no nos habíamos visto. Había cambiado mucho; estaba curtido por el sol y llevaba unas patillas que no le favorecían. No obstante, tenía los sencillos modales de siempre y también eran los de siempre su rostro de grandes rasgos, sus inteligentes ojos brillantes y su sonrisa casi infantil.

Al cabo de cinco minutos, dejó de ser el huésped y se convirtió en una persona de la casa incluso para los criados, a quienes había alegrado su llegada, lo que podía deducirse por el celo que mostraban.

Se portó de un modo completamente distinto a como solían hacerlo los vecinos que venían a vernos después del fallecimiento de mamá, los cuales consideraban necesario callar y llorar mientras permanecían en casa. Por el contrario, Serguei Mijáilovich estuvo alegre y comunicativo. No dijo ni una palabra referente a mamá. Al principio esta indiferencia me pareció extraña, incluso incorrecta, por parte de una persona tan allegada a nosotros. Pero luego comprendí que no se trataba de indiferencia, sino de sinceridad, y me sentí agradecida.

Por la tarde, a la hora del té, Katia ocupó en el salón el sitio de siempre, como en la época de mamá. Sonia y yo nos sentamos a su lado. El anciano Grigori trajo una vieja cachimba de papá que había buscado para Serguei Mijáilovich y este se puso a recorrer la estancia, como solía hacerlo antaño.

—¡Qué cambios se han producido en esta casa! Cuando piens... —exclamó, interrumpiéndose.

—Es verdad —asintió Katia con un suspiro.

Y después de tapar el *samovar*, lo miró con expresión compungida.

—Supongo que recuerda a su padre —me dijo Serguei Mijáilovich.

—Poco —contesté.

—¡Qué bien estarían ustedes con él ahora! —pronunció en voz baja, mirándome a la frente, por encima de los ojos—. ¡Yo estimaba mucho a su padre! —añadió en un susurro.

Me pareció que sus ojos se habían vuelto más brillantes.

—A ella también se la ha llevado el Señor —dijo Katia, quien, después de dejar la servilleta sobre la tetera, sacó el pañuelo y se echó a llorar.

—Ha habido grandes cambios en esta casa —repitió Serguei Mijáilovich, volviéndose—. Sonia, enséñame tus juguetes —dijo al cabo de un rato, y se fue a la sala.

Miré a Katia con los ojos llenos de lágrimas.

—Es un buen amigo —comentó. Experimenté una sensación de bienestar por la compasión que nos mostraba ese hombre tan bueno, que, al fin y al cabo, era un extraño para nosotros. Desde la sala se oía gritar a Sonia que jugaba con Serguei Mijáilovich. Mandé que le sirvieran el té. Se había sentado al piano y golpeaba las teclas con los deditos de Sonia.

—¡María Alexandrovna! Venga, tóquenos alguna pieza —resonó su voz.

Me agradó que me tratase con esa sencillez y esa amistosa autoridad. Fui a su lado.

—Toque esto —dijo abriendo un libro de sonatas de Beethoven. Era el *adagio* de la sonata *Quasi una fantasia*—. Vamos a ver qué tal lo hace —añadió, retirándose a un rincón de la sala con el vaso de té en la mano.

No sé por qué, pero me di cuenta de que era inútil negarme, argumentando que tocaba mal. Así, pues, me senté al piano y empecé a tocar.

Temía el juicio de Serguei Mijáilovich, pues me constaba que le gustaba la música y que la entendía. El *adagio* estaba en consonancia con los recuerdos que provocara en mí la charla durante el té y, al parecer, lo interpreté bastante bien. Sin embargo, Serguei Mijáilovich no me dejó acabar el *scherzo*.

—No lo interpreta bien —dijo, acercándose a mí—. ¡Déjelo! Lo primero no le ha salido mal. Me parece que entiende la música.

Este discreto elogio me alegró tanto que hasta me ruboricé. Me agradaba el hecho de que ese amigo y compañero de mi padre hablara conmigo a solas en tono serio y no como antes, como cuando era niña. Katia subió a acostar a Sonia; nosotros nos quedamos en la sala. Serguei Mijáilovich me habló de mi padre, de lo compenetrado que había estado con él, de la vida alegre y divertida que llevaron en otro tiempo, cuando yo me interesaba solo por los libros y los juguetes. Y mi padre se me apareció por primera vez como un hombre sencillo y amable, distinto de como lo había conocido. Serguei Mijáilovich me hizo preguntas acerca de mis proyectos, de lo que me gustaba, de lo que leía, y me dio consejos. Ya no era aquel ser bromista y divertido que me hacía rabiar y me confeccionaba juguetes, sino un hombre serio, sencillo y afectuoso por el que, involuntariamente, sentí respeto y simpatía. Me encontraba a gusto en su presencia y, sin embargo, me cohibía hablar con él. Temía por cada una de mis palabras; deseaba ganarme por mí misma el cariño que me otorgaba por el hecho de ser la hija de mi padre.

Cuando hubo acostado a Sonia, Katia se reunió con nosotros y se quejó de mi apatía, que yo no había mencionado para nada.

—No me ha contado lo más importante —exclamó Serguei Mijáilovich, sonriendo y moviendo la cabeza con aire de reproche.

—¿Para qué iba a contárselo? Es muy aburrido... Ya se pasará. Además, no tiene importancia. Ya se pasará.

En aquel momento no solo me parecía que mi tristeza pasaría, sino que ya había pasado, incluso que nunca había existido.

—Está mal que uno no sepa soportar la soledad. ¿Será posible que sea usted ya una señorita?

—Desde luego —contesté, echándome a reír.

—Pero una señorita mimada que solo vive mientras la admiran; en cuanto se queda sola, se abandona y nada le es grato. Todo en ella es externo, todo es para los demás; nada tiene para sí misma.

—¡Bonita opinión tiene usted de mí! —exclamé por decir algo.

—No en vano se parece usted a su padre —pronunció después de un breve silencio—. En usted hay... —y su mirada, atenta y bondadosa, se posó de nuevo en mí, turbándome de un modo agradable.

Solo en aquel momento me di cuenta de que, pese a su expresión, que en un principio parecía alegre, tenía una mirada clara peculiar, que, poco a poco se tornaba grave y melancólica.

—No puede ni debe estar triste. Comprende la música, tiene libros, ha cursado estudios y tiene toda la vida por delante. Lo único que debe hacer es prepararse para ella con objeto de no arrepentirse después. Dentro de un año, será tarde.

Me hablaba como si fuera mi padre o mi pariente; sin duda se esforzaba por ponerse a mi nivel. Me dolió que me considerase como a una inferior, pero era agradable que se mostrara distinto solo para mí.

Pasó el resto de la tarde hablando de nuestros asuntos con Katia.

—Bueno, adiós, mis buenas amigas —dijo al fin y, acercándose a mí, me tomó la mano.

—¿Cuándo le volveremos a ver? —preguntó Katia.

—En primavera —contestó Serguei Mijáilovich sin soltarme la mano—. Ahora voy a Danilovka —era otra aldea nuestra—; veré en qué estado se encuentra y arreglaré lo que pueda. Después iré a Moscú para unos asuntos particulares. Pero en verano nos veremos a menudo.

—¿Es posible que se vaya para tanto tiempo? —exclamé con profunda tristeza.

Me había hecho ilusiones de verlo todos los días. De pronto me asusté por si volvía a embargarme la tristeza y esto debió notarse en mis ojos y en el tono de mi voz.

—Dedíquese a algo; no se deje llevar por la melancolía —replicó Serguei Mijáilovich en un tono que se me antojó extremadamente frío.

—En primavera le haré un examen —concluyó soltándome la mano sin mirarme.

Fuimos a acompañarle al recibidor; se puso la pelliza rápidamente y me miró. «Es inútil —pensé—. ¿Se imagina acaso que me agrada que me mire? Es usted muy buena persona, muy buena persona, pero nada más.»

Aquella noche Katia y yo tardamos en dormirnos. Hablamos mucho, pero no de él, sino acerca de cómo pasaríamos aquel verano y dónde y de qué manera viviríamos en invierno. Ya no se me presentaba la terrible pregunta: «¿Para qué?» Me parecía claro y sencillo que se debía vivir para ser feliz y no dudaba de que el futuro me reservaba toda clase de venturas. Era como si nuestra vieja y sombría casa de Pokrovskoie se hubiese llenado súbitamente de vida y de luz.

*L*legó la primavera. Mi tristeza se había esfumado, sustituyéndose por una melancolía primaveral, llena de ensueños, de inexplicables deseos y esperanzas. Ya no vivía sin hacer nada, como al principio del invierno, sino que me ocupaba de Sonia, estudiaba música y leía. Sin embargo, solía vagar por los senderos del jardín o sentarme en algún banco, y solo Dios sabe en qué pensaba y los deseos y las esperanzas que me embargaban. A veces, sobre todo cuando había luna, me pasaba la noche entera sentada junto a la ventana de mi cuarto; otras, sin ponerme nada encima, tal y como estaba, con una blusita y una falda, procurando que no me oyese Katia, bajaba la escalera y corría al estanque por la hierba cubierta de rocío. Una vez hasta salí al campo y regresé rodeando el jardín.

Ahora me resultaba difícil comprender los sueños que llenaban entonces mi imaginación. Cuando los recuerdo, me parece imposible que fueran míos. ¡Eran tan extraños! ¡Tan irreales!

Serguei Mijáilovich regresó de su viaje a fines de mayo, conforme había prometido.

Vino a verme a última hora de la tarde; no lo esperábamos en absoluto. Nos disponíamos a tomar el té. El jardín había reverdecido ya y en los tupidos macizos anidaban los ruiseñores. Los arbustos de lilas aparecían como salpicados de blanco y violeta; las flores estaban a punto de abrirse. Con el sol poniente, el follaje de la alameda aparecía transparente. Una sombra suave invadía la terraza. El rocío vespertino iba cayendo sobre la hierba. Desde el patio, al otro lado del jardín, llegaban los últimos ruidos del día; un rebaño volvía a la aldea; Nikon el tonto hacía rodar un barril por el senderito, delante de la terraza, y el chorro de agua fría caía de la regadera, ennegreciendo la tierra en torno a los tallos de las dalias.

En la mesa, sobre el blanco mantel, hervía el resplandeciente *samovar*, junto a una jarrita con nata y platos de rosquillas y galletas. Con sus manos regordetas, Katia enjugaba las tazas. El baño me había abierto el apetito; no tuve paciencia para esperar a que sirvieran el té y empecé a comer pan con nata fresca. Llevaba una blusa de hilo con manga corta y tenía el cabello mojado, atado con un pañuelo. Katia fue la primera que vio a Serguei Mijáilovich.

—¡Ah! Precisamente hablábamos de usted —exclamó, saliéndole al encuentro.

Me levanté para ir a cambiarme de ropa, pero nos encontramos en la puerta.

—Nada de cumplidos, estamos en el campo —me dijo con una sonrisa, mirándome a la cabeza—. No le avergüenza que Grigori la vea así, ¿verdad? Pues bien: soy Grigori para usted. De veras.

Pero en aquel momento me pareció que me miraba de un modo distinto a cómo podía hacerlo aquel, y me sentí molesta.

—En seguida vuelvo —repliqué, alejándome.

—¡Está muy bien así! —me gritó Serguei Mijáilovich—. Parece una muchacha campesina.

«¡Qué modo tan raro de mirarme! —pensé mientras me cambiaba rápidamente de ropa en el piso de arriba—. Pero gracias a Dios, ha vuelto, y todo resultará más alegre ahora.»

Después de contemplarme en el espejo, muy contenta, corrí escaleras abajo y, sin ocultar mi apresuramiento, entré jadeante en la terraza. Serguei Mijáilovich, sentado junto a la mesa, hablaba con Katia de nuestros asuntos. Al verme, sonrió, pero prosiguió la conversación. Según sus palabras, todo iba perfectamente. Tendríamos que pasar el verano en la aldea, pero luego nos marcharíamos a San Petersburgo o al extranjero para poder educar a Sonia.

—Debería usted acompañarnos; de otro modo, nosotras solas nos sentiremos en el extranjero como en un bosque.

—¡De buena gana daría la vuelta al mundo con ustedes! —exclamó Serguei Mijáilovich, medio en serio, medio en broma.

—¿Por qué no? —repliqué—. Podemos emprender un viaje alrededor del mundo.

—¿Y mi madre? ¿Y los negocios? —arguyó, moviendo la cabeza—. Pero dejemos eso. Cuénteme cómo ha pasado este tiempo atrás. ¿Se ha dejado llevar de nuevo por la tristeza?

Le contesté que, en su ausencia, me había ocupado de algunas cosas y que no había estado triste. Katia confirmó mis palabras. Entonces me elogió y me acarició con la mirada, como si yo fuera una criatura y él tuviera derecho de hacerlo. Creí indispensable darle detallada cuenta de cuanto había hecho de bueno y reconocer, como en una confesión, todo lo que pudiera disgustarle. Hacía una noche espléndida. Por tanto, cuando retiraron el servicio de té, nos quedamos en la terraza. La conversación resultó tan entretenida que no me di cuenta de que poco a poco dejaron de oírse las voces de los criados. El aroma de las flores se hizo más intenso, un copioso rocío cubrió la hierba, un ruiseñor empezó a cantar en un arbusto de lilas, cerca de la terraza, pero enmudeció al oír nuestras voces; el cielo, completamente estrellado, parecía haber descendido sobre nosotros.

Comprendí que era de noche porque un murciélago penetró bajo la lona de la terraza y aleteó junto a mi pañuelo blanco. Me arrimé a la pared dispuesta a gritar, pero el murciélago salió de allí silenciosa y velozmente y se perdió en la penumbra del jardín.

—¡Cómo me gusta Pokrovskoie! —exclamó Mijáilovich, cambiando de conversación—. Me pasaría la vida entera sentado en esta terraza.

—Puede hacerlo, si quiere —replicó Katia.

—Sí, claro; pero la vida es movimiento.

—¿Por qué no se casa? —preguntó Katia—. Sería usted un marido excelente.

—Pues porque me gusta permanecer sentado sin hacer nada —exclamó Serguei Mijáilovich, echándose a reír—. No; Katerina Karlovna, ni usted ni yo nos casaremos ya. Hace mucho que nadie se fija en mí como en un hombre que puede casarse todavía. Yo pienso en eso menos que nadie. Y me encuentro muy a gusto, se lo aseguro.

Me pareció que decía esto apasionadamente.

—¡Qué cosas tiene! A los treinta y seis años se considera caduco —exclamó Katia.

—¡Y hasta qué punto! Solo tengo ganas de estar sentado. Para casarse se requiere otra cosa. Pregúnteselo a ella —dijo Serguei Mijáilovich, señalándome con la cabeza—. Estas muchachas son las que deben casarse. Nosotros disfrutaremos viéndolas.

En el tono de su voz había cierta tensión y tristeza oculta que no me pasaron inadvertidas; calló durante un rato; Katia y yo no hicimos ningún comentario.

—Imagínese —prosiguió, revolviéndose en la silla— que por desgracia me casara con una muchacha de diecisiete años, con Mash... con María Alexandrovna, por ejemplo. Es un ejemplo magnífico. Estoy muy contento de que se me haya ocurrido... Es el mejor ejemplo.

Me eché a reír, sin poder comprender por qué Serguei Mijáilovich estaba tan alegre, ni por qué se le había ocurrido ese ejemplo...

—Dígame la verdad, con la mano puesta sobre el corazón —exclamó, dirigiéndose a mí en tono de broma—. ¿Acaso no sería una desgracia unir su vida a la de un hombre viejo, caduco, cuyo único deseo es estar sentado, cuando usted se encuentra henchida de sueños y deseos?

Me sentí molesta y guardé silencio, sin saber qué responder.

—No le hago una proposición —argumentó riendo—. Dígame con franqueza: ¿verdad que no sueña con un marido como yo cuando pasea sola por el jardín a la caída de la tarde? ¿Verdad que esto sería una desgracia para usted?

—No precisamente una desgracia… —empecé diciendo.

—Pero no estaría bien —concluyó Serguei Mijáilovich.

—Claro que puedo equivo…

Me interrumpió de nuevo.

—Ya lo ve; tiene razón. Le agradezco su franqueza y me alegro de que hayamos suscitado este tema. Además, para mí también sería una terrible desgracia —añadió.

—¡Qué divertido es usted! No ha cambiado en absoluto —dijo Katia.

Y abandonó la terraza para mandar que sirvieran la cena.

Ambos guardamos silencio. El ruiseñor empezó a cantar de nuevo, pero no como por la tarde, con aquellos gorjeos indecisos y entrecortados, sino lanzando unos trinos reposados y tranquilos, que se desbordaban por todo el jardín. Otro ruiseñor le contestó desde una lejana hondonada. El del jardín enmudeció un momento, como si escuchara; luego sus sonoros trinos se tornaron más agudos y vibrantes. Resonaban serenos y majestuosos en ese maravilloso mundo, ese mundo nocturno, ajeno a nosotros. El jardinero pasó en dirección al invernadero; iba a acostarse; oímos cómo se alejaba por el sendero haciendo ruido con sus gruesas botas. Luego se oyó un silbido penetrante desde la falda de la montaña y de nuevo quedó todo en silencio. El follaje se estremeció imperceptiblemente, se agitó la lona y la brisa esparció un agradable aroma. Resultaba molesto callar después de lo que habíamos hablado, pero no sabía qué decir. Lo miré. Sus ojos brillantes se fijaron en mí.

—¡Qué bien se vive en este mundo! —dijo.

Suspiré sin saber por qué.

—¿Qué me dice?

—¡Qué bien se vive en este mundo! —repetí.

Callamos de nuevo y volví a sentirme molesta. Me figuré que le había disgustado asintiendo a que era viejo y quise consolarlo, pero no supe cómo.

—Tengo que marcharme —dijo, levantándose—. Mi madre me espera para cenar. Apenas si la he visto hoy.

—¡Quería tocarle una sonata nueva! —exclamé.

—En otra ocasión —replicó con frialdad.

En aquel momento me pareció aún más evidente que se había disgustado y me dio lástima. Katia y yo le acompañamos hasta la escalinata y permanecimos un rato mirando el camino por el que desaparecía. Cuando dejaron de oírse los cascos de su caballo, volví a la terraza, desde donde contemplé el jardín, envuelto en neblina y poblado de ruidos nocturnos. Estuve largo rato viendo y oyendo solo lo que quería ver y oír.

Serguei Mijáilovich vino por segunda y tercera vez. La sensación molesta producida por la extraña conversación que habíamos sostenido desapareció por completo y no volvió a renovarse. Durante el verano nos visitaba dos o tres veces por semana. Me acostumbré de tal modo a su presencia que, si tardaba algo más en venir, la vida se volvía aburrida, y me enfadaba con él. Me parecía que obraba mal abandonándome. Me trataba como a un compañero joven a quien estimase; me hacía preguntas, me inducía a una sinceridad completa, me daba consejos, me estimulaba, y, a veces, me reprendía y frenaba mis ímpetus. Pero a pesar de su esfuerzo por mantenerse continuamente a mi nivel, lo comprendía solo hasta un límite, más allá del cual existía un mundo entero, ajeno para mí, en el que no consideraba necesario introducirme. Eso me infundía respeto y me atraía. Supe por Katia y por los vecinos que, además de las preocupaciones que tenía con su anciana madre, con su propiedad y con nuestra tutela, ciertos asuntos de la nobleza le daban grandes disgustos. Pero nunca logré que me dijera qué opinión tenía de todo aquello, ni cuáles eran sus ideas, ni sus planes. En cuanto empezaba a hablarle de sus asuntos, fruncía el ceño de una manera que le era peculiar, como diciendo: «Basta, por favor, eso no le incumbe», y cambiaba de tema. Al principio esto me ofendía; luego me acostumbré de tal forma que solo hablábamos de cosas que me concernían, lo que me parecía muy natural.

Otra particularidad suya, que también me disgustó en los primeros tiempos, pero que más adelante me fue simpática, era su completa indiferencia y un cierto desprecio respecto de mi físico. Nunca hacía alusión a mi belleza con una mirada o con una palabra, y, es más, fruncía el ceño y se echaba a reír cuando alguien me decía en presencia suya que era bonita. Le gustaba encontrarme defectos, y me hacía rabiar con ellos. Los días de fiesta, Katia solía engalanarme con vestidos y peinados de moda, pero eso no hacía más que provocar las burlas de Serguei Mijáilovich. Al principio esa actitud me desconcertaba y la pobre Katia se afligía. En su fuero interno, estaba convencida de que yo le gustaba a Serguei Mijáilovich y no comprendía cómo era posible que no le agradase verme bajo el aspecto más agradable. Tardé en entender que Serguei Mijáilovich necesitaba estar seguro de que yo no era coqueta. Cuando me di cuenta de ello, no quedó en mí la menor sombra de coquetería en el vestir, en el peinado, ni en los movimientos; pero, en cambio, surgió la coquetería de la sencillez, en una época en que aún no podía ser sencilla.

Me constaba que Serguei Mijáilovich me quería; no me preguntaba si era como a una niña o como a una mujer. Presentía que me consideraba como la mejor muchacha del mundo y no podía por menos de desear que este engaño continuara. Involuntariamente engañaba a Serguei Mijáilovich. Pero, al hacerlo, me volvía mejor. Me di cuenta de que era mucho mejor y más digno mostrarle las cualidades de mi alma que las perfecciones de mi cuerpo. Había valorado inmediatamente mis cabellos, mis manos, mi cara y mis costumbres, fuesen buenas o malas, y sabía que ya no me era posible añadir nada que no fuera ficticio a mi persona externa. En cambio, no conocía mi alma porque estaba en plena evolución; por tanto, podía engañarle y lo hacía. ¡Qué bien me sentí en presencia de Serguei Mijáilovich cuando comprendí esto con claridad! La turbación inmotivada y la sensación molesta de antes desaparecieron por completo. Sabía que ya podía verme de frente, de perfil, sentada o de pie, con los cabellos recogidos o sueltos, me conocía toda, y tenía la impresión de que estaba satisfecho de mí tal como era. Creo que si, en contra de sus costumbres, me hubiese dicho, como lo hacían los demás, que tenía un rostro encantador, no me hubiera alegrado en absoluto. En cambio mi alma se henchía de regocijo cuando, a cualquier palabra que yo dijera, me miraba fijamente y exclamaba conmovido, aunque procurase dar un tono jocoso a su voz:

—En usted *hay algo*. Debo decirle que es una buena muchacha.

¿Por qué me otorgaba esta recompensa que llenaba mi corazón de orgullo y alegría? Porque había dicho que me conmovía el cariño del viejo Grigori por su nieta, porque se me saltaban las lágrimas al leer unas poesías o una novela, o porque prefería Mozart a Schulhof. Mi intuición para lo que estaba bien y se debía apreciar era sorprendente, porque, en realidad, en aquella época no tenía la menor noción de tales cosas. La mayor parte de mis gustos y costumbres de antes no agradaban a Serguei Mijáilovich. Bastaba un movimiento, una mirada o que su rostro adquiriera una expresión especial, ligeramente despectiva, para que en el acto dejara de gustarme lo que me había deleitado un momento atrás. A veces, cuando se disponía a aconsejarme, me parecía saber de antemano lo que me iba a decir. Cuando me preguntaba algo mirándome a los ojos, su mirada extraía de mí lo que deseaba. Todas las ideas y sentimientos que tenía en aquella época no eran míos, sino de él; eran ideas y sentimientos que súbitamente se habían hecho míos y habían pasado a mi existencia, iluminándola. Sin darme cuenta comencé a considerarlo todo desde otro punto de vista; a Katia, a nuestros siervos, a Sonia, a mí misma y mis ocupaciones. Los libros que leyera antes solo por aburrimiento se convirtieron en uno de los mayores placeres. Esto era debido a que era él quien los traía, a que leíamos juntos y comentábamos las lecturas. Antes, las lecciones que daba a mi hermana constituían para mí una pesada carga que me esforzaba en cumplir como un deber, pero desde que Serguei Mijáilovich presenció una clase, los progresos de Sonia me proporcionaron mucha alegría. Antes me parecía imposible aprender una pieza de música entera; en cambio, por aquel entonces, sabiendo que él iba a escucharme y que tal vez me elogiaría, repetía hasta cuarenta veces el mismo pasaje sin aburrirme. La pobre Katia se tapaba los oídos con algodón. Las sonatas sonaban de un modo distinto, las ejecutaba de otra forma, mucho mejor.

También Katia, a la que conocía perfectamente y quería como a mí misma, cambió ante mis ojos. Comprendí que no tenía obligación de ser nuestra madre, nuestra amiga y nuestra sierva, pues en realidad eso es lo que era para nosotras. Comprendí todo el sacrificio y la abnegación de este ser amante, comprendí cuánto tenía que agradecerle, y empecé a quererla aún más. Serguei Mijáilovich me enseñó a considerar a nuestra gente, a los campesinos y a los criados de una forma completamente distinta. Resulta extraño, pero la verdad es que hasta los diecisiete años viví entre estos seres y era para ellos más ajena que para gente que no había visto nunca. Jamás se me ocurrió pensar que amaban y tenían deseos y sentimientos como yo. Nuestro jardín, nuestros bosques, nuestros campos, que conocía desde hacía tanto tiempo, se tornaron de pronto nuevos y maravillosos. No en vano Serguei Mijáilovich decía que solo existe una felicidad indudable en el mundo: vivir para los demás. Esta idea me pareció extraña entonces porque no la comprendía; no obstante, se infiltró en mi corazón sin razonamientos. Serguei Mijáilovich me descubrió un mundo entero de alegrías en el presente, sin cambiar para nada mi existencia, sin añadir más que su persona a cada emoción. Todo aquello había vivido en silencio alrededor mío desde mi infancia y había bastado que viniera él para que resonase y entrase a raudales en mi alma, llenándola de felicidad.

Aquel verano a menudo subía a mi habitación, me echaba en la cama, y, en lugar de aquella antigua tristeza de primavera, llena de deseos y esperanzas para el futuro, me embargaba la inquietud de una felicidad inmediata. No podía dormir; entonces iba a sentarme en la cama de Katia y le decía que era feliz. Al recordar esto ahora, comprendo que no era necesario decírselo; podía verlo sin más. Katia me besaba, asegurándome que ella lo era también, que nada le faltaba. Pero admitía la posibilidad de dormir, hasta simulaba enfadarse echándome de su lado, y no tardaba en conciliar el sueño.

Yo estaba desvelada; durante mucho rato daba vueltas en mi imaginación a todo lo que me hacía feliz. A veces me levantaba para rezar; otras, daba gracias a Dios por la dicha que me había concedido.

Reinaba el silencio en la estancia.

Se oía la respiración regular de Katia y el tictac del reloj. Dando vueltas en la cama, murmuraba palabras, me santiguaba y besaba la cruz que llevaba al cuello. Las puertas y las persianas estaban cerradas. Una mosca o un mosquito se agitaba zumbando en algún rincón. Me hubiera gustado no salir nunca de este cuarto, me hubiera gustado que no llegase el día que iba a esfumarse la atmósfera espiritual que me envolvía. Tenía la sensación de que mis ideas, mis sueños y mis oraciones eran unos seres vivos que vivían en la oscuridad, revoloteaban en torno a mi cama y gravitaban por encima de mí. Cada uno de esos pensamientos era un pensamiento de él, y cada uno de esos sentimientos le pertenecía también. Por aquel entonces ignoraba que eso era el amor; creía que eso podía suceder siempre, que era un sentimiento que nos embarga sin más ni más.

*E*ra la época de la cosecha. Una tarde, después de comer, Katia, Sonia y yo fuimos al jardín a sentarnos en nuestro banco preferido, a la sombra de los tilos, desde donde se dominaban el bosque y los campos. Hacía unos tres días que Serguei Mijáilovich no había vuelto a vernos, y en aquel momento lo esperábamos porque había prometido al administrador dar una vuelta por la hacienda. Hacia las dos de la tarde lo vimos pasar, montado a caballo, por el campo de centeno. Katia ordenó que sirvieran melocotones y cerezas; era la fruta predilecta de Serguei Mijáilovich. Después, mirándome risueña, se tendió en el banco y se quedó adormilada. Arranqué una rama de tilo, cuyas hojas y corteza jugosas me humedecieron la mano, y agitándola por encima de Katia, proseguí mi lectura. Pero levantaba los ojos sin cesar hacia el camino por el que debía venir Serguei Mijáilovich. Junto a un viejo tilo, Sonia construía un cenador para las muñecas.

El día era caluroso, sofocante, no corría el menor soplo de viento; las nubes se condensaban, tornándose más oscuras y ya desde por la mañana parecía que iba a desencadenarse una tormenta. Me sentía alterada, como siempre que hacía bochorno. Al mediodía, las nubes habían empezado a disiparse y apareció el sol en el cielo despejado; a lo lejos, retumbaron ligeros truenos; por un pesado nubarrón, suspendido en el horizonte, que se confundía con el polvo de los campos, descendieron hasta la tierra pálidos rayos zigzagueantes. Era evidente que la tormenta no descargaría, al menos en nuestra aldea. Por el camino que se divisaba a trechos más allá del jardín, ora se veía una fila de altos carros chirriantes, cargados de haces, que se arrastraban lentamente, ora una fila de carros vacíos, que iban veloces en dirección contraria, con campesinos, cuyas camisas ondeaban al aire. La densa polvareda, inmóvil, se mantenía en el aire entre el transparente follaje del jardín. Desde la era, que estaba algo más lejos, se oían voces y chirriar de ruedas, y los mismos haces amarillos que hacía un momento habían pasado en los carros volaban por el aire transformándose en ovalados almiares. Se destacaban sus tejados puntiagudos y las siluetas de los campesinos que se agitaban sobre ellos. Delante, en un campo polvoriento, también se veían carros y haces de mieses y llegaban hasta mí el alboroto y las canciones. A la derecha, en un campo segado, se destacaban los abigarrados vestidos de las mujeres que ataban las gavillas. El campo iba despojándose y cubriéndose de hermosos haces. Era como si de repente el verano se estuviese convirtiendo en otoño ante mis propios ojos. Hacía bochorno y por doquier, a excepción de nuestro rincón preferido del jardín, se alzaban nubes de polvo. Por todas partes bullían los trabajadores, envueltos en aquel polvo y bajo aquel sol ardiente.

Katia dormitaba dulcemente con el rostro cubierto por un pañuelo blanco de batista; las jugosas cerezas relucían, nuestros vestidos eran impecables, los rayos del sol jugueteaban en el agua de la jarra formando claras irisaciones y yo me encontraba muy bien. «¿Qué culpa tengo de ser feliz? —pensé—. ¿Cómo podría compartir mi dicha? ¿A quién entregarme por completo?»

El sol se había puesto ya detrás de las copas de los álamos del jardín y el polvo iba posándose sobre los campos. A la luz de los oblicuos rayos del sol la lejanía se vislumbraba más diáfana; las nubes se habían disipado y en la era, más allá del arbolado, se veían las cimas de tres almiares nuevos, de los que bajaban algunos campesinos.

Pasaron unos cuantos carros, armando gran estrépito. Sin duda eran los últimos. Después, las mujeres que iban cantando con los rastrillos al hombro y unos hatos colgados a la cintura. Pero Serguei Mijáilovich no llegaba, a pesar de que hacía un rato que lo había visto bajar hacia la falda de la montaña.

De repente, divisé su silueta en la avenida; no esperaba que viniese por ahí; sin duda había dado la vuelta al valle.

Se acercaba a mí a grandes pasos, radiante de alegría, y con el sombrero en la mano. Al ver que Katia dormía, se mordió los labios, cerró los ojos y empezó a andar de puntillas. En seguida me di cuenta de que se hallaba en ese estado de ánimo alegre que tanto me gustaba y que solíamos llamar *entusiasmo salvaje*. Enteramente parecía un escolar travieso que había hecho novillos. Todo su ser expresaba gozo y felicidad.

—Buenas tardes, joven *violeta*. ¿Cómo está? ¿Cómo se encuentra? —preguntó en voz baja, mientras me estrechaba la mano—. Estoy perfectamente —contestó a mi pregunta—. Me parece que tengo trece años; me dan ganas de jugar a los caballitos y de subirme a los árboles.

—¿Tiene «entusiasmo salvaje»? —inquirí.

Y, al mirarle a los ojos, noté que me contagiaba de su alegría.

—Sí —me contestó guiñando un ojo y conteniendo una sonrisa—. Pero ¿por qué pega a Katalina Karlovna en la nariz?

Mientras le miraba, había seguido sacudiendo la rama y, sin darme cuenta, había tirado el pañuelo de Katia y le azotaba el rostro con las hojas.

Me eché a reír.

—Luego nos dirá que no dormía —susurré como si temiera despertarla, pero en realidad era porque me agradaba hablar en voz baja con él.

Serguei Mijáilovich movió los labios, haciéndome burla. Al reparar en las cerezas, cogió el plato con ademán furtivo y, dirigiéndose hacia Sonia, que estaba bajo el tilo, se sentó encima de sus muñecas. Sonia se enfadó. Pero en breve hizo las paces con Serguei Mijáilovich porque este le enseñó un juego que consistía en cuál de los dos se comería más cerezas.

—Si quiere, traeré más. O mejor, venga usted mismo a buscarlas.

Serguei Mijáilovich tomó el plato, puso encima las muñecas y nos dirigimos al huerto. La pequeña Sonia corrió detrás de nosotros riendo y tirando a Serguei Mijáilovich de la chaqueta para que le devolviese sus juguetes. Este acabó por dárselos y se dirigió a mí con expresión seria;

—¡Ya lo creo que es una *violeta*! —dijo en un susurro, a pesar de que no había ya peligro de despertar a nadie—. En cuanto me he acordado de usted, después de todo el polvo, el calor y las faenas, he percibido perfume a violetas. Pero no a violetas olorosas, sino a esas otras, ya sabe, esas violetas tempraneras, oscuritas, que huelen a aguanieve y a hierba de primavera.

—¿Qué tal marchan las faenas del campo? —pregunté para ocultar la alegría y la turbación que me habían producido sus palabras.

—¡Admirablemente! Estas gentes son admirables en todas partes. Cuanto más se las conoce, más se las quiere.

—Es verdad. Antes de llegar usted, estuve contemplando a los campesinos desde el jardín, y, de pronto, sentí remordimiento al pensar que ellos trabajan, mientras yo estoy tan...

—No coquetee con eso, amiga mía —me interrumpió, mirándome a los ojos con expresión grave, aunque cariñosa—. Es una cosa sagrada. ¡Dios la libre de presumir de tener ese sentimiento!

—Únicamente se lo digo *a usted*.

—Sí, ya lo sé. Bueno, ¿dónde están esas cerezas?

El huerto estaba cerrado y no estaban los jardineros. Los habían mandado a ayudar en las faenas del campo. Sonia corrió a pedir la llave, pero Serguei Mijáilovich no esperó a que volviera. Se encaramó a la valla, levantó la tela metálica y saltó al otro lado.

—¿Quiere darme el plato? —le oí decir desde allí.

—No; quiero arrancarlas yo misma; voy a buscar la llave —repliqué—. Sonia no la encontrará...

Pero en aquel momento sentí deseos de ver lo que hacía en el huerto, cómo miraba y cómo se movía, al imaginar que nadie lo veía. No quería perderle de vista ni un momento. Rodeé el huerto corriendo de puntillas por las ortigas hasta llegar a un sitio donde la valla era más baja. Subí sobre un barril vacío, y pude asomarme al otro lado. Eché un vistazo al interior del huerto con sus viejos árboles retorcidos de anchas hojas dentadas, entre las que colgaban oscuras y jugosas cerezas. Introduciendo la cabeza bajo la tela metálica, vi a Serguei Mijáilovich. Sin duda pensaba que me había marchado y que nadie lo veía. Permanecía sentado, descubierto, con los ojos cerrados, sobre la rama de un viejo cerezo. Sus dedos se entretenían haciendo una bolita de resina. De repente, se encogió de hombros, abrió los ojos y murmuró algo. Una sonrisa le iluminó el rostro. Su expresión era tan distinta a la de siempre que me avergoncé de haberle espiado. Creí que había dicho: «Masha.» «No puede ser», pensé. «Querida Masha», repitió más bajo y con mayor ternura. Esta vez oí distintamente esas dos palabras. El corazón empezó a latirme con tal fuerza y fue tal la alegría que me embargó que tuve que agarrarme con ambas manos a la valla para no caer y descubrir mi presencia. Debió de oír mis movimientos. Se volvió asustado y, bajando los ojos, se ruborizó como un niño. Quiso decirme algo, pero no pudo y se puso todavía más colorado. No obstante, al mirarme de nuevo, sonrió. Sonreí también. Su cara expresó una gran alegría. Ya no era aquel señor viejo que me acariciaba y me instruía, sino un igual que me amaba y me temía, y a quien yo amaba y temía a mi vez. No nos dijimos nada, nos contentamos con mirarnos. Pero súbitamente Serguei Mijáilovich frunció el ceño, desapareció el brillo de sus ojos y de nuevo me habló en tono paternal y hasta con frialdad. Era como si estuviésemos haciendo algo malo y se hubiese recobrado y me aconsejara que siguiera su ejemplo.

—¡Baje! Puede lastimarse. Arréglese el cabello. No sabe lo que parece.

«¿Por qué disimular? ¿Por qué quiere hacerme daño?», pensé despechada. Y en aquel momento me dieron ganas de turbarlo de nuevo y probar mi poder sobre él.

—No; las quiero coger yo misma —dije, agarrándome a una rama que estaba cerca y saltando por encima de la valla.

Antes de que le diera tiempo de sujetarme, ya había saltado a tierra.

—¡Qué tonterías hace! —exclamó ruborizándose como antes, pero procurando disimular su azoramiento por medio de la indignación—. Podía haberse hecho daño. ¿Y ahora cómo va a salir de aquí?

Estaba más turbado que hacía un momento; pero, lejos de alegrarme, me asusté de verlo así. Me turbé también y, rehuyendo su mirada y sin saber qué decir, me puse a coger cerezas, aunque no tenía dónde ponerlas. Me reproché mi proceder, me sentía arrepentida y asustada, pensando que ya no podría rehabilitarme ante sus ojos.

Ambos callábamos sintiéndonos molestos. Sonia vino con la llave y nos libró de esa incómoda situación. Sin embargo, aún estuvimos mucho rato sin hablarnos, dirigiéndonos tan solo a Sonia.

Cuando regresamos junto a Katia —la cual nos aseguró que no había dormido y lo había oído todo—, me había tranquilizado ya; Serguei Mijáilovich procuró recobrar su tono protector y paternal de siempre, pero no pudo lograrlo ni tampoco engañarme. Entonces recordé una conversación que habíamos sostenido algunos días atrás.

Katia afirmaba que al hombre le es más fácil amar y exteriorizar sus sentimientos que a la mujer.

—El hombre puede decir que ama, pero la mujer no —dijo.

—A mí me parece que el hombre no puede ni debe decir que ama —replicó Serguei Mijáilovich.

—¿Por qué? —pregunté.

—Porque siempre es mentira. ¿Acaso es un descubrimiento que el hombre ama? Es como si al pronunciar esta palabra, empezase a funcionar un mecanismo: *clic*, y uno empezase a amar. Como si fueran las salvas de un cañón... Me parece que los hombres que pronuncian con solemnidad «te quiero» se engañan a sí mismos, o, lo que es peor, engañan a los demás.

—Entonces, ¿cómo puede saber una mujer que la quieren si no se lo dicen? —preguntó Katia.

—No lo sé —respondió Serguei Mijáilovich—. Cada cual tiene su manera de expresar el amor. Si existe ese sentimiento, se exterioriza. Cuando leo novelas me imagino siempre la cara de preocupación del teniente Strelsky o la de Alfredo cuando exclama: «Te quiero, Eleonora», esperando que suceda algo extraordinario. Pero, en realidad nada les sucede, ni a él ni a ella. Siguen con los mismos ojos, la misma nariz y con todo igual que antes.

Entonces ya, al oír aquella broma, presentí que se trataba de algo serio, que se refería a mí. Katia no pudo soportar que se hablara con ligereza de los héroes de las novelas.

—¡Siempre con paradojas! —exclamó—. Dígame en serio: ¿no ha dicho usted nunca a ninguna mujer que la ama?

—No; nunca. Tampoco me he puesto de rodillas, ni pienso hacerlo —replicó Serguei Mijáilovich, echándose a reír.

«No tiene que decirme que me ama —pensé, recordando esa conversación—. Lo sé, y por más que se esfuerce en aparecer indiferente no logrará desengañarme.»

Durante la velada, Serguei Mijáilovich habló poco conmigo. Pero en cada palabra que dirigía a Katia y a Sonia, en cada gesto y cada mirada veía su amor y no podía dudar de él. Solo me causaba despecho que aún creyese necesario disimular, fingirse frío, cuando todo estaba tan claro, cuando hubiéramos podido ser inmensamente felices. Sin embargo, sufría por haber saltado al huerto, como si hubiese cometido un crimen. Tenía la impresión de que Serguei Mijáilovich había dejado de respetarme y que estaba enfadado conmigo.

Después de tomar el té, me dirigí al piano y Serguei Mijáilovich me siguió.

—Toque algo, hace mucho que no la escucho —me dijo al entrar en el salón.

—Era lo que iba a hacer... ¡Serguei Mijáilovich! —repliqué, mirándole a los ojos, y, de pronto, pregunté—: ¿Está enfadado conmigo?

—¿Por qué?

—Por haberle desobedecido esta tarde —dije enrojeciendo.

Me comprendió y movió la cabeza risueño. Su mirada decía que me hubiera merecido una reprimenda, pero que no se sentía con fuerzas para dármela.

—No ha pasado nada, somos amigos lo mismo que antes —dije, sentándome al piano.

—¡No faltaría más!

En el gran salón de altos techos solo había dos velas encima del piano; el resto de la estancia estaba en la penumbra. Por las ventanas abiertas se veía la clara noche estival. Reinaba el silencio; únicamente se oían de cuando en cuando los pasos de Katia y al caballo de Serguei Mijáilovich, que atado al pie de la ventana, piafaba y relinchaba. Serguei Mijáilovich se sentó a mis espaldas; notaba su presencia en la penumbra de la estancia, en los sonidos y hasta en mí misma. Cada mirada, cada movimiento suyo que yo no veía, me repercutían en el corazón. Ejecuté *Fantasía y Sonata*, de Mozart. Me la había traído Serguei Mijáilovich y la había estudiado para él y bajo su dirección. No pensaba en lo que estaba tocando, pero sin duda lo hacía bien, y él me escuchaba con gusto. Yo también estaba encantada y, sin mirarle, sentía sus ojos clavados en mí.

Me volví sin querer. Su cabeza se destacaba sobre el fondo claro de la noche. La tenía apoyada en las manos, y me miraba fijamente con sus ojos brillantes. Al ver esa mirada, sonreí y dejé de tocar. Serguei Mijáilovich sonrió también y con un movimiento de cabeza me indicó la partitura para que continuase. Cuando terminé, la luna se había remontado y la habitación estaba iluminada por unos rayos plateados, que caían sobre el suelo. Katia me reprochó que me hubiese interrumpido en el mejor pasaje y dijo que había tocado mal; por el contrario, Serguei Mijáilovich me aseguró que nunca lo había hecho tan bien como en esa ocasión. Luego se levantó y se puso a recorrer las habitaciones: atravesaba el salón, entraba en la oscura sala y volvía al salón, mirándome y sonriendo cada vez que pasaba junto a mí. También yo sonreí e incluso sentía deseos de reír sin motivo alguno, hasta tal punto estaba contenta por algo que acababa de suceder. En cuanto Serguei Mijáilovich desaparecía por la puerta, yo abrazaba a Katia y la besaba en el cuello, bajo la barbilla, en el sitio que prefería, pero cuando volvía adoptaba una expresión seria y me esforzaba en contener la risa.

—¿Qué le ocurre hoy a Masha? —preguntó Katia.

Serguei Mijáilovich no contestó, limitándose a sonreír. El sabía lo que me pasaba.

—¡Fíjese qué noche! —exclamó al cabo de un instante desde la sala, deteniéndose ante el balcón abierto que daba al jardín.

Nos acercamos. En efecto, hacía una noche maravillosa. Nunca he vuelto a ver otra igual. La luna llena se había situado por encima de la casa y quedaba a nuestras espaldas. Parte del tejado, la lona de la terraza y sus pilares se proyectaban *en raccourci* en el senderito arenoso y en los céspedes. Todo lo demás aparecía cubierto de rocío y bañado de una luz plateada. El ancho sendero florido, en el que caían oblicuamente las sombras de las dalias y cuya grava resplandecía, se esfumaba en la lejanía, envuelto en la bruma.

Más allá de los árboles, se divisaba el tejado claro del invernadero y desde el valle se elevaba una niebla que crecía por momentos. Los arbustos de lilas, algo despojados ya, aparecían iluminados hasta las ramas. Se hubieran podido distinguir una de otra todas las flores. La sombra y la luz se confundían hasta el punto de que, las alamedas con sus árboles parecían unas casas trémulas, vacilantes, irreales. A la derecha, bajo la sombra de la casa, todo estaba negro, confuso y feo. Pero en esa os curidad se destacaba, sin embargo, la magnífica copa de un álamo que, no se sabe por qué, estaba cerca de la casa bañado de radiante luz, en lugar de haber volado lejos, hacia el fugitivo cielo azulado.

—Vamos a dar un paseo —propuse. Katia accedió, pero me dijo que me pusiera los chanclos.

—No hace falta, Katia; Serguei Mijáilovich me dará el brazo —repliqué, como si aquello pudiera evitar que me mojase los pies.

No obstante, mis palabras resultaron comprensibles para los tres y no nos extrañaron en absoluto. Antes, Serguei Mijáilovich nunca me había dado el brazo; esta vez se lo cogí yo misma y él lo encontró natural. Aquel mundo, aquel cielo, aquel jardín y aquel aire eran distintos a los que había conocido hasta entonces.

Al mirar hacia el fondo de la alameda por la que avanzábamos, me pareció que no podíamos seguir adelante, que allí terminaba el mundo de lo posible, que todo aquello debía estar hechizado por su belleza. Pero seguimos avanzando y la muralla encantada se separó para dejarnos entrar. Y ese lugar me pareció también un jardín conocido, con sus árboles, sus paseos y sus hojas secas. Caminábamos realmente por aquellos paseos, pisando los círculos de luz y las sombras; las hojas secas crujían bajo nuestros pies y las ramas tiernas me rozaban la cara. Era él, realmente, quien iba a mi lado, erguido, silencioso, llevándome con cuidado del brazo, y era Katia quien respiraba con fatiga, caminando junto a nosotros. Era la luna, en efecto, la que nos iluminaba desde el cielo a través del follaje inmóvil...

Pero a cada paso que dábamos, tanto detrás como delante de nosotros, surgía esa muralla encantada, y yo creía que ya no se podía ir más lejos, y que todo lo que me rodeaba era irreal.

—¡Ay! ¡Una rana! —gritó Katia.

«¿Quién ha dicho eso? ¿Para qué?», pensé. Luego me di cuenta de que era Katia y recordé que le daban miedo las ranas. Miré a mis pies. Una ranita permanecía inmóvil ante mí, proyectando una pequeña sombra en el claro sendero arcilloso.

—¿No le dan miedo? —me preguntó Serguei Mijáilovich.

Me volví hacia él. Faltaba un tilo en el lugar de la alameda por donde pasábamos y pude distinguir claramente su rostro. ¡Era tan encantador y expresaba tanta felicidad!...

Había dicho: «¿No le dan miedo?», pero yo había oído: «Te quiero, querida pequeña.» «Te quiero, te quiero», repitieron sus ojos, su mano, la luz, las sombras y el aire.

Habíamos rodeado todo el jardín. La pobrecilla Katia iba a nuestro lado bastante despacio, respirando con dificultad; estaba cansada. Dijo que era hora de volver. Me dio lástima. «¿Por qué no siente lo mismo que nosotros? —pensé—. ¿Por qué todo el mundo no es joven y feliz como la noche y como él y yo?»

Volvimos a casa. Serguei Mijáilovich tardó en marcharse, a pesar de que ya habían cantado los gallos y de que todos dormían. El caballo relinchaba cada vez con más frecuencia, piafando, al pie de la ventana. Katia no hizo alusión a que era tarde y charlamos de cosas triviales, sin darnos cuenta, hasta las tres de la madrugada. Cuando Serguei Mijáilovich se marchó, cantaron por tercera vez los gallos y empezó a despuntar la aurora. Se había despedido como de costumbre, sin decir nada extraordinario; pero yo sabía que desde aquel día era mío, y que ya no le perdería. En cuanto me confesé a mí misma que lo amaba, se lo conté todo a Katia. La conmovió mucho mi confidencia, y la pobrecilla no pudo dormir aquella noche. En cuanto a mí, paseé largo rato por la terraza; luego bajé al jardín, y, recordando cada palabra y cada movimiento de Serguei Mijáilovich, atravesé las alamedas por las que habíamos paseado. No me acosté en toda la noche y vi amanecer por primera vez en mi vida. Nunca he vuelto a ver una noche como aquella ni semejante amanecer.

¿Por qué no me dirá sencillamente que me quiere? ¿Por qué complica las cosas y se las da de viejo, cuando todo es tan sencillo y encantador? ¿Por qué pierde un tiempo precioso, que tal vez nunca volverá? Que me diga: «Te quiero.» Que me lo diga con palabras. Que me tome la mano, que incline la cabeza y pronuncie: «Te quiero.» Que se ruborice y baje la vista delante de mí, entonces se le confesaré todo. En vez de hablar, lo abrazaré, me apretaré contra él y me echaré a llorar. «¿Y si me equivoco? ¿Y si no me quiere?», se me ocurrió de pronto.

Me asusté de mi propio sentimiento, que Dios sabe adónde podía conducirme; recordé su turbación y la mía cuando salté al huerto, y sentí un enorme peso en el corazón. Brotaron lágrimas de mis ojos, y me puse a rezar. Entonces tuve una idea que me tranquilizó. Decidí que desde aquel momento empezaría a ayunar, comulgaría el día de mi cumpleaños y sería su prometida a partir de entonces.

¿Para qué? ¿Por qué? ¿Cómo iba a suceder aquello? No sabía nada, pero me constaba que iba a suceder así. Era completamente de día y los criados empezaban a levantarse cuando volví a mi habitación.

CAPÍTULO IV

*E*ra la época que precede a la Asunción, y por eso nadie se extrañó de que empezara a ayunar.

Aquella semana, Serguei Mijáilovich no vino ni una sola vez, pero eso no me sorprendió ni inquietó en absoluto. No me enfadaba con él, por el contrario, estaba contenta de que no viniese; lo esperaba solo para mi cumpleaños. Solía levantarme muy temprano y, mientras enganchaban los caballos, paseaba sola por el jardín recordando mis pecados del día anterior y reflexionando sobre las cosas que no debía hacer para estar satisfecha de mí. En aquella época me parecía muy fácil vivir sin pecar. Estaba persuadida de que solo era necesario esforzarse un poco para conseguirlo. Cuando llegaba el coche, me instalaba en él con Katia o con alguna doncella y nos dirigíamos a la iglesia, a tres *verstas* de nuestra casa.

Al llegar me decía que era preciso recogerse para rezar por todos, y procuraba subir los dos peldaños cubiertos de hierba que conducían al atrio, animada por ese sentimiento. A esas horas no había en la iglesia más de diez personas, entre campesinos y criados. Procuraba contestar a sus saludos con la mayor humildad e iba en persona —cosa que se me antojaba una verdadera hazaña— a coger los cirios, a cuyo cuidado estaba el *starosta*, un viejo soldado. A través del iconostasio se divisaba el paño del altar, bordado por mi madre, con dos ángeles con estrellas, que me parecían muy grandes cuando era pequeña, y una paloma dorada. Más allá del coro se veía la pila en la que bautizaban a los hijos de nuestros criados, de los que yo era madrina, y en la que también me habían bautizado a mí. El viejo sacerdote, con una casulla confeccionada con la cobertura del féretro de mi padre, decía la misa. Su tono era el de siempre, el mismo que cuando bautizó a Sonia, cantó los responsos de mi padre y los funerales de mi madre. Desde el coro resonaba también la misma voz, algo trémula, del sacristán, y la misma viejecita encorvada, a la que solía ver en la iglesia durante las ceremonias, permanecía junto a la pared, con los ojos llorosos, fijos en un icono. Estrechaba los dedos cruzados contra su pañuelo descolorido y murmuraba algo con la boca desdentada.

Ninguna de estas cosas me resultaba curiosa —y no es que me fueran familiares solo por los recuerdos— y hasta se me antojaban majestuosas, sagradas y llenas de profunda significación.

Escuchaba cada palabra de la oración que recitaban, y si no entendía algo, pedía a Dios que me iluminara. Cuando el sacerdote leía alguna plegaria alusiva al arrepentimiento, recordaba mi infancia, clara e inocente, y se me aparecía tan negra en comparación con el puro estado de ánimo que me embargaba en aquel momento, que rompía a llorar, horrorizada de mí misma. Sin embargo, presentía que todo eso se me perdonaría y que, si pesaran más pecados sobre mi alma, mayor sería mi dicha al arrepentirme. Al final de la ceremonia, cuando el sacerdote decía: «Que la bendición del Señor sea con vosotros», creía sentir físicamente esa bendición. Era como si una luz y un gran bienestar invadieran de pronto mi alma.

Terminada la misa, el sacerdote solía preguntarme si quería que fuese a casa a rezar las vísperas. Le daba las gracias, conmovida por aquella atención que me figuraba tenía solo conmigo, y le contestaba que iría a la iglesia.

Yo no sabía qué contestar para no cometer un pecado contra la humildad. Los días que no me acompañaba Katia, solía despedir el coche y volvía a pie. Saludaba a todos los que me encontraba y buscaba ocasión de prestar servicio, dando un consejo, ayudando a levantar una carga, acunando un niño y cediendo el paso aunque me manchara los pies de barro. En una palabra, haciendo un sacrificio por los demás.

Una noche, el administrador, al dar el informe a Katia, había dicho que uno de nuestros *mujiks*, llamado Semión, había pedido unas tablas de madera para construir un ataúd para una hija que se le había muerto, y un rublo para la colación fúnebre.

—¿Acaso son tan pobres? —le pregunté.

—Sí, señorita; no tienen ni para comprar sal —respondió el administrador.

Al oír esto, se me encogió el corazón; pero, al mismo tiempo, tuve como una sensación de alegría. Engañé a Katia diciéndole que iba a dar un paseo. Corrí al piso de arriba, cogí todo mi dinero —tenía muy poco— y, después de santiguarme, me dirigí a la *isba* de Semión, que estaba en un extremo de la aldea. Sin que nadie me viera, me acerqué a la ventana, puse el dinero en el alféizar y di un golpecito. Rechinó la puerta y alguien salió de la *isba*. Oí unas palabras. Temblando de miedo, como si hubiese cometido un crimen, volví a casa a todo correr. Katia me preguntó qué me había sucedido, pero yo no era capaz de entender lo que me decía, y no le contesté.

Encerrada en mi habitación, paseé de arriba abajo durante mucho rato, incapaz de hacer ni de razonar nada, ni de analizar mis sentimientos. Pensaba en la alegría de aquella familia, en las palabras con que nombrarían al donante del dinero, y me dio lástima de no haberlo entregado personalmente. También me figuraba lo que diría Serguei Mijáilovich si se enterase, pero me complacía la idea de que nadie llegara a saberlo nunca. Era tal mi alegría que, a pesar de que todos, inclusive yo misma, me parecían seres imperfectos, sentía una gran ternura hacia mi persona y hacia los que me rodeaban. La idea de la muerte se me presentó como una dicha. Sonreía, rezaba y lloraba y en aquel momento quería apasionadamente a todos y hasta a mí misma.

Generalmente, al volver de misa, leía los Evangelios, que cada vez iba comprendiendo mejor. Cada vez se me representaba más clara y más conmovedora esta historia de una vida divina, y más hondas e impenetrables las ideas que hallaba en su estudio. En cambio, ¡qué claro y sencillo me parecía todo cuando, separándome del libro, consideraba de nuevo la vida que me rodeaba! ¡Me parecía tan arduo vivir mal y tan sencillo querer a mis semejantes y ser querida por todos! Todos eran buenos y dulces conmigo. Incluso Sonia, a quien continuaba dando clase, parecía completamente distinta. Procuraba comprender las cosas y no disgustarme. Todos me trataban como yo a ellos. Rememorando a mis enemigos, a quienes debía pedir perdón antes de confesarme, me acordé de una señorita vecina, de quien me había burlado en una ocasión en presencia de unos invitados y la cual dejó de visitarnos desde entonces. Le escribí una carta, reconociendo mi culpa y pidiéndole perdón. Me contestó con otra; me perdonaba y a su vez me pedía perdón. Lloré de júbilo al leer esas sencillas líneas, que me parecieron llenas de sentimiento tierno y conmovedor. También mi *niania*[1] se echó a llorar cuando le pedí perdón por cuanto hubiera podido ofenderla.

«¿Por qué todo el mundo es tan bueno conmigo? ¿Qué he hecho para merecer tanto cariño?, me preguntaba». E involuntariamente recordaba a Serguei Mijáilovich y pensaba mucho en él.

No podía por menos de hacerlo y no lo consideraba como un pecado.

Pero ya no pensaba en él como la primera noche en que supe que le quería, sino como en mí misma y lo asociaba con cada pensamiento de mi porvenir. La agobiante influencia que experimentaba en su presencia había desaparecido. Me sentía igual a él y lo comprendía des-

---

[1] Niñera.

de lo alto del estado espiritual en que me encontraba. Veía claro lo que antes me pareciera extraño. Solo entonces comprendí por qué me decía que la felicidad estriba en vivir para los demás, y estuve de acuerdo con él. Me parecía que seríamos dichosos, que disfrutaríamos de una felicidad serena.

No me representaba viajes al extranjero, diversiones mundanas, ni lujos, sino una vida de aldea tranquila, llena de abnegación y de amor mutuo, bajo una fe inquebrantable en la Divina Providencia.

Tal como lo había previsto, comulgué el día de mi cumpleaños. Cuando regresaba de la iglesia estaba henchida de felicidad, tenía miedo de la vida, tenía miedo de cualquier impresión, de todo lo que pudiera quebrar esa dicha. En cuanto nos apeamos del coche y subimos la escalinata, se oyó desde el puente el traqueteo tan conocido del coche de Serguei Mijáilovich, y lo vi aparecer. Me felicitó y entramos juntos en el salón. Desde que lo conocía nunca me había sentido tan tranquila, ni tan independiente en presencia suya como aquella mañana. Tenía la impresión de que había dentro de mí todo un mundo nuevo que él no podía comprender, un mundo demasiado elevado. No me turbaba en absoluto estar a su lado. Serguei Mijáilovich debió comprender a qué obedecía mi estado de ánimo.

Se mostró particularmente atento, dulce y respetuoso conmigo. Me acerqué al piano, pero él lo cerró, guardándose la llave en el bolsillo.

—No estropee su estado de ánimo —dijo—. En este momento tiene en el alma la mejor música del mundo.

Le agradecí aquello, aunque en el fondo me desagradó ligeramente que comprendiera con tanta facilidad lo que debiera permanecer en mi fuero interno, oculto para todos. Durante la comida, Serguei Mijáilovich nos dijo que había venido a felicitarme y, al mismo tiempo, a despedirse, porque al día siguiente se iba a Moscú. Al decir estas palabras, tenía los ojos clavados en Katia, pero luego me miró a hurtadillas; comprendí que temía ver emoción en mi rostro. Pero no me sorprendí, ni me inquieté, ni siquiera le pregunté si se marchaba para mucho tiempo. Me constaba que lo decía por decir, pero que no lo haría. ¿Cómo podía saberlo? Ahora no puedo explicármelo; sin embargo, aquel día memorable me parecía saber de antemano todo lo que iba a ocurrir. Aquello parecía un sueño feliz; me daba la impresión de que lo que estaba sucediendo había sucedido ya, pero que, no obstante, volvería a producirse. Serguei Mijáilovich había querido marcharse en cuanto terminamos de comer. Pero como Katia, cansada después de la misa, se había echado un rato, tuvo que esperar a que se levantara para despedirse de ella. La sala estaba invadida de sol. Salimos a la terraza. Tan pronto nos sentamos, abordé el tema que había de decidir el destino de mi amor. Empecé a hablar en el preciso momento en que nos sentábamos, antes de haber cambiado una sola palabra, mientras nada podía estorbar a mi propósito. Ahora no comprendo cómo pude expresarme con aquella tranquilidad, aquella decisión y precisión de palabras. Era como si no fuese yo quien hablara, sino una fuerza misteriosa que estuviese dentro de mí. Serguei Mijáilovich, sentado enfrente y apoyado en la barandilla, había acercado una rama de lilas que deshojaba. Al cabo de un rato, había soltado la rama y apoyado la cabeza en la mano. Esta actitud podía ser tanto la de una persona completamente tranquila, como muy alterada.

—¿Por qué se marcha? —pregunté en tono significativo, mirándole con fijeza.

No contestó.

—¡Los asuntos! —bromeó al fin, bajando los ojos.

Comprendí lo difícil que le resultaba mentirme a una pregunta formulada con tanta sinceridad.

—Escuche, usted sabe lo que significa para mí el día de hoy. Es muy importante por muchas razones. Si le hago esta pregunta, no es por mero interés (ya sabe que me he acostumbrado a usted, y que le quiero, sino porque necesito saberlo. ¿Por qué se marcha?

—Me es muy difícil decirle la verdad. Esta semana pasada he pensado mucho en usted y en mí, y he decidido que debo marcharme. ¿Comprende por qué lo hago? Si me aprecia, no me pregunte nada más.

Se pasó la mano por la frente y cerró los ojos.

—Me es penoso... Usted debe comprenderlo —añadió.

Empezó a latirme el corazón con fuerza.

—¡No puedo comprender! —exclamé—. No *puedo*, pero usted me lo dirá, por el día que es hoy. Dígamelo, escucharé lo que sea con tranquilidad —añadí.

Cambió de postura, me miró y de nuevo atrajo la rama.

—Claro que... —empezó diciendo después de un breve silencio con un tono de voz que en vano pretendía ser firme— aun cuando sea casi imposible decírselo con palabras y por penoso que me sea, procuraré hacerlo.

Hizo una mueca como si experimentara un dolor físico.

—Sí; sí... —lo animé.

—Imagínese un señor... llamémosle «A». Un señor viejo y caduco, y una señorita, «B», joven, feliz, que no conoce a los hombres ni la vida. Por las relaciones existentes entre las dos familias, «A» ha tomado cariño, como a una hija, a la señorita «B», sin figurarse que un día la querría de otra forma.

Guardó silencio; yo no lo interrumpí.

—Pero había olvidado que «B» era demasiado joven, que la vida era aún un juego para ella —continuó de repente con tono resuelto y sin mirarme—, que era fácil quererla de otra forma y que eso le resultada divertido. Y de repente se dio cuenta de que otro sentimiento, penoso como el arrepentimiento, invadía su alma. Y se asustó. Le dio miedo de perder la antigua amistad; por eso decidió marcharse antes de destruirla.

Al decir esto, se frotó los ojos aparentando indiferencia.

—¿Por qué temía quererla de otro modo? —pregunté en un murmullo, conteniendo mi emoción.

Mi voz era tranquila; sin duda debió de creer que me burlaba.

—«Usted es joven, y yo no. Usted tiene ganas de jugar; en cambio, yo necesito otra cosa. Juegue, pero no conmigo. De lo contrario, voy a creerme lo que me diga, esto me hará daño, y le remorderá la conciencia». Estas fueron las palabras que dijo «A». Pero, bueno, esto es absurdo; ya puede comprender por qué me marcho. ¡No hablemos más, por favor!

—¡No! ¡No! ¡Continúe! —exclamé, y mi voz tembló, ahogada por los sollozos—. ¿Él la quería o no?

Serguei Mijáilovich no contestó.

—Si no la quería, ¿para qué ha jugado con ella como con una criatura? —balbucí.

—Desde luego, «A» tuvo la culpa —replicó, interrumpiéndome—. Pero todo terminó y se separaron... tan amigos.

—¡Es horrible! ¿Acaso no puede haber otro desenlace? —exclamé, asustándome acto seguido de lo que había dicho.

—Sí, claro —respondió Serguei Mijáilovich descubriendo su rostro emocionado y mirándome con fijeza—. Hay otros dos. Pero ¡por Dios!, no me interrumpa y compréndame Unos dicen —prosiguió levantándose y sonriendo con expresión dolorosa— que «A» perdió la razón, se enamoró locamente de «B» y se lo dijo... y que esta se echó a reír. Para «B» aquello era una broma, en cambio para él se trataba de su vida.

Me estremecí y quise decirle que se guardase de hablar por mí, pero Serguei Mijáilovich me contuvo, puso una mano sobre la mía y prosiguió con voz temblorosa.

—Espere. Otros dicen que ella se compadeció de él. La pobrecita no conocía el mundo, se imaginó que podría quererle y lo aceptó por marido. Él, como un insensato, creyó que su vida empezaba de nuevo. Pero la muchacha se dio cuenta de que lo había engañado y había sido engañada a su vez... No hablemos más de esto —concluyó sin fuerzas para continuar.

Y comenzó a pasear junto a mí.

Había dicho: «No hablemos más de esto»; sin embargo, me di cuenta de que esperaba mi respuesta con todas las fuerzas de su alma. Quise hablar, pero no pude; algo me oprimía el pecho. Lo miré, estaba pálido y le temblaba el labio inferior. Me dio lástima. Hice un esfuerzo, rompí el silencio que iba paralizándome y hablé en voz baja, temiendo a cada momento que se quebrase.

—Y el tercer desenlace —dije y me interrumpí, pero Serguei Mijáilovich siguió callado—, el tercero es que «A» no la quería. Había causado mucho daño a «B»; pero, creyendo que procedía bien, se marchó. ¡Y encima se sentía orgulloso! Es para usted para quien se trata de una broma, y no para mí. Yo le amé desde el primer día, le amé desde el primer día —repetí.

Involuntariamente, al pronunciar la palabra *amé*, mi voz, tan queda antes, se transformó en un grito salvaje que me asustó.

Serguei Mijáilovich permanecía frente a mí, muy pálido. Cada vez le temblaba más el labio. De pronto, dos lágrimas se deslizaron por sus mejillas.

—¡Eso está muy mal! —grité ahogada por sollozos de ira—. ¿Qué he hecho para merecerlo?

Me levanté con intención de irme.

Pero Serguei Mijáilovich no me dejó. Colocó la cabeza sobre mis rodillas y me besó las manos, todavía trémulas, por las que sentí correr sus lágrimas.

—¡Dios mío! ¡Si lo hubiese sabido! —balbució.

—¿Qué he hecho? ¿Qué he hecho? —repetí.

Pero mi alma estaba henchida de felicidad, que había creído perdida para siempre.

Cinco minutos después, Sonia subió a buscar a Katia. Iba gritando por toda la casa que Masha quería casarse con Serguei Mijáilovich.

CAPÍTULO V

*N*o había motivos para aplazar nuestra boda. Ni Serguei Mijáilovich ni yo lo deseábamos. Cierto es que Katia quería ir antes a Moscú para realizar compras y encargar el ajuar, y la madre de Serguei Mijáilovich exigía que antes de casarse comprase un coche nuevo, muebles y empapelase la casa.

Pero los dos insistimos en hacer todo esto después, ya que era indispensable, y contraer matrimonio dentro de dos semanas en la intimidad, sin ajuar, invitados, testigos, cenas, champaña ni ninguna de esas cosas convencionales.

Serguei Mijáilovich me contó que su madre se había disgustado porque nuestra boda iba a celebrarse sin música y sin haber renovado toda la casa —la suya se había hecho por todo lo alto y había costado treinta mil rublos— y que, a espaldas de él, revolvía los baúles del desván, pidiendo consejo a Mariushka, el ama de llaves, referente a los tapices, cortinas y bandejas, imprescindibles para nuestra felicidad.

Katia, por su parte, hacía lo mismo con Kusminishna, nuestra *niania*. Y no se le podía hablar en broma sobre este particular. Estaba plenamente convencida de que cuando tratábamos de nuestro porvenir, solo nos decíamos palabras tiernas y hacíamos tonterías, como corresponde a la gente que se halla en un trance como el nuestro. A juicio suyo, nuestra felicidad dependía únicamente del buen corte y de la perfecta confección de las camisas y de los dobladillos de los manteles y servilletas.

Entre Pokrovskoie y Nikolskoie se cruzaban a diario mensajes secretos sobre lo que se preparaba. Aunque las relaciones entre Katia y la madre de Serguei Mijáilovich parecieran muy cordiales, en realidad eran hostiles. Claro que no faltaba la diplomacia.

Tatiana Semenovna, a quien posteriormente conocí más de cerca, era una mujer afectada, un ama de casa severa y chapada a la antigua. Serguei Mijáilovich no solo la quería como hijo, por deber, sino de corazón, considerándola como la mujer más perfecta, inteligente y cariñosa del mundo. Tatiana Semenovna se mostraba muy bondadosa con nosotros y particularmente conmigo. Estaba contenta de que su hijo se casara, pero cuando la visité siendo ya la prometida de Serguei, me pareció que quiso darme a entender que este hubiera podido encontrar un partido mejor, y que no me vendría mal tener eso siempre presente. La comprendí perfectamente y estuve de acuerdo con ella.

Durante las dos últimas semanas nos veíamos a diario. Serguei Mijáilovich venía a la hora de comer y se quedaba hasta medianoche. Pero a pesar de que decía que no podía vivir sin mí —y me constaba que era verdad—, no pasó ni un día entero conmigo y continuó ocupándose de sus asuntos. Hasta el día de la boda nuestras relaciones no cambiaron exteriormente. Seguíamos hablándonos de usted; Serguei Mijáilovich ni siquiera me besaba la mano y hasta rehuía quedarse a solas conmigo. Era como si temiera entregarse a una excesiva ternura, una ternura nociva que llevaba dentro. No sé cuál de los dos había cambiado, pero me sentía completamente igual a él. Ya no encontraba en Serguei esa sencillez afectada que antes me disgustara, y a menudo veía ante mí un chiquillo dócil y muy feliz, en lugar del hombre que inspira respeto y temor. «Eso es todo cuanto hay en él —pensaba—; es una persona como yo nada más.» Y si descubría algo nuevo era sencillo y estaba en consonancia conmigo. Incluso los planes que hacía para el futuro eran iguales a los míos, aunque más claros y mejor expresados.

Durante aquellos días hacía mal tiempo; pasábamos la mayor parte del día dentro de casa. Las charlas mejores, las más íntimas, tenían lugar en un rincón, entre el piano y la ventana. La luz de las velas se reflejaba en los oscuros cristales; de cuando en cuando caían sobre ellos algunas gotas que resbalaban lentamente. Se oía la lluvia que golpeaba el tejado y caía a un charco. Notábamos la humedad que llegaba desde el jardín. Y entonces nuestro rincón parecía aún más claro, más acogedor y alegre.

—¿Sabe que hace mucho que quiero decirle una cosa? —me dijo Serguei Mijáilovich en una ocasión en que nos quedamos solos, hasta bastante tarde, en aquel rincón—. Mientras estaba usted tocando el piano pensaba en ella.

—No me diga nada, lo sé todo —exclamé.

Serguei Mijáilovich sonrió.

—Si es verdad, no hablemos más.

—Sin embargo, dígamela.

—Se trata de lo siguiente: ¿recuerda la historia de «A» y «B» que le conté?

—¿Cómo no me voy a acordar de esa historia tan tonta? Está bien que haya terminado así.

—Por un poco más, hubiera echado a perder mi felicidad por mi propia culpa. Me ha salvado usted. Pero lo más importante es que entonces mentí y que me remuerde la conciencia. Quiero terminar de relatarle esa historia.

—¡Oh, no es necesario!

—No tenga miedo —dijo Serguei Mijáilovich, sonriendo—. Solo necesito disculparme. Cuando empecé a contársela, simplemente tenía deseos de razonar.

—¿Para qué? No hace falta.

—Pero lo hice mal. Después de las desilusiones y de los errores de mi vida, al volver a la aldea, me dije que el amor había concluido para mí, que solo me quedaba la probabilidad de cumplir con mis obligaciones durante el resto de mi vida. Tardé mucho en darme cuenta de mis sentimientos hacia usted y en comprender adónde podían conducirme. Esperaba y desesperaba; tan pronto me parecía que coqueteaba usted conmigo, tan pronto que me tomaba en serio, y yo mismo ignoraba lo que iba a hacer. Pero después de la noche en que paseamos por el jardín —¿la recuerda?— me asusté; mi felicidad me pareció demasiado inmensa, imposible. ¿Qué hubiera ocurrido si llegara a abrigar esperanzas inútiles? Naturalmente, solo pensaba en mí; porque soy un vil egoísta.

Serguei Mijáilovich guardó silencio y me miró.

—Sin embargo —prosiguió—, no era tan absurdo lo que dije entonces. Podía y debía tener miedo. ¡Recibo tanto de usted y, en cambio, puedo darle tan poco! Es usted aún una chiquilla, un capullo que ha de florecer. Ama por primera vez, mientras que yo...

—Dígame la verdad... —exclamé; pero, de pronto, sentí miedo de su respuesta—. No; no hace falta.

—¿Si he amado antes? ¿Es eso? —preguntó, adivinando mi pensamiento—. Puedo decírselo. No; no he amado. Nunca he experimentado nada parecido a este sentimiento.

Un penoso recuerdo debió de cruzar por su imaginación.

—Necesito su corazón para tener derecho a amarla —añadió con tristeza—. ¿No cree que era preciso que lo pensara antes de decidirme a confesar que la quiero? ¿Qué le ofrezco? Amor, desde luego...

—¿Acaso es poco? —repliqué, mirándole a los ojos.

—Sí, amiga mía. Para usted es poco —prosiguió—. Usted es bella y joven. Paso noches enteras sin poder dormir a causa de mi felicidad, y continuamente pienso en nuestro porvenir. He sufrido mucho y me parece que he hallado lo que precisaba para la felicidad. Una vida de aldea apacible, aislada del resto del mundo, con la posibilidad de hacer el bien a la gente, cosa muy fácil de realizar. El trabajo, un trabajo que produce beneficio; después, el descanso, la naturaleza, los libros, la música, amar al ser querido: he ahí mi felicidad. Es mucho mayor de la que soñaba. He encontrado una compañera, tal vez tengamos hijos; eso es cuánto puede desear un hombre.

—Tiene razón —afirmé.

—Para mí, desde luego, porque ya pasó mi juventud; pero usted, que no ha vivido todavía, tal vez quiera buscar la dicha en otra cosa, y tal vez la encuentre. Ahora le parece que esto es la felicidad, porque me quiere.

—Siempre me ha gustado esa apacible vida familiar. Usted no hace sino expresar lo que yo pienso.

Serguei Mijáilovich sonrió.

—Eso le parece, amiga mía; pero no es así. Es usted bella y joven —repitió, pensativo.

Me enfadé porque no me creyese.

Parecía echarme en cara que fuese joven y bella.

—¿Por qué me ama? —pregunté, enojada—. ¿Por mi juventud o por lo que soy realmente?

—No lo sé. Pero lo cierto es que la quiero —respondió.

Y clavó en mí su mirada de expresión atenta.

Involuntariamente lo miré a los ojos. De pronto me sucedió algo extraño; dejé de ver cuánto me rodeaba y su rostro desapareció también; tan solo sus ojos brillaban muy cerca, frente a los míos, y hasta tuve la impresión de que estaban dentro de mí. Todo se enturbió, no veía nada. Cerré los ojos para librarme de la sensación de placer y pánico que me producía su mirada...

La víspera de nuestra boda, al atardecer, mejoró el tiempo. Después de las lluvias, que habían empezado en verano, llegó la primera noche fría de otoño. Todo estaba húmedo y gris, y por primera vez se notó en el jardín que los árboles estaban despojados. El cielo aparecía claro y pálido. Fui a acostarme, feliz ante la idea de que, al día siguiente, el de nuestra boda, haría buen tiempo.

Me desperté al amanecer. Pensar que era ese día... pareció asustarme y asombrarme. Bajé al jardín. Acababa de salir el sol y brillaba a través del follaje amarillento de los tilos de la alameda. El sendero estaba cubierto de hojas secas. Los serbales aparecían llenos de bayas rojas con sus escasas hojas secas, muertas por el frío. Las dalias estaban marchitas, ennegrecidas. La escarcha cubría con su brillo de plata la hierba verde pálida y las bardanas destrozadas que había al lado de la casa. En el cielo claro no se veía ni una sola nube.

«¿Es posible que sea hoy? —me preguntaba sin creer en mi felicidad—. ¿Es posible que no me despierte aquí mañana, sino en aquella casa de columnas de Nikolskoie? ¿No volveré a esperar a Serguei Mijáilovich para salirle al encuentro, ni hablaré de él en presencia de Katia por las noches? ¿Ya no me sentaré al piano junto a él en el salón de Pokrovskoie? ¿No le acompañaré ni temeré que le pase algo malo en las noches oscuras?» Recordé también que me había dicho la víspera que era la última vez que venía, y que Katia me había obligado a probarme el vestido de novia diciendo: «Para mañana.» Por un momento creí en todo eso, pero luego dudé de que fuera verdad. «¿Será posible que desde hoy viva allí, en Nikolskoie, con mi suegra, sin Nadiejda, sin Grigori y sin Katia? ¿No besaré antes de acostarme a la *niania* ni la oiré decir, según su vieja costumbre, después de bendecirme: "Buenas noches, señorita"? ¿Ya no daré clase a Sonia, no jugaré con ella, no golpearé la pared para despertarla, no oiré sus sonoras carcajadas? ¿Me convertiré desde hoy en una persona extraña para mí misma? ¿Se abrirá ante mí una vida nueva, realizándose mis esperanzas y deseos?»

Esperé con impaciencia a Serguei Mijáilovich porque me apesadumbraban mis pensamientos. Vino temprano: solo al estar a su lado creí que aquel día iba a ser su mujer, y esa idea dejó de parecerme extraña.

Por la mañana asistimos a un funeral por mi padre.

«¡Si viviera!», pensaba mientras me apoyaba, callada, en el brazo del hombre que había sido su mejor amigo.

Durante el funeral, con la cabeza inclinada hacia el frío suelo de piedra, me había representado vivamente a mi padre. Creí que me comprendía, que aprobaba mi elección y hasta me pareció que su alma volaba por encima de nosotros bendiciéndome.

Los recuerdos, las esperanzas, la felicidad y la pena se unían en mí en un sentimiento grato y solemne, que armonizaba con el aire fresco, el silencio, la desnudez de los campos y con el pálido cielo del que descendían débiles rayos que calentaban mis mejillas. Tenía la impresión de que Serguei Mijáilovich compartía mis sentimientos. Caminaba despacio y en silencio; su rostro expresaba ora tristeza, ora alegría, sentimientos que inspiraban la naturaleza y embargaban también mi corazón.

De repente, se volvió hacia mí y comprendí que quería decirme algo.

«¿Será posible que me hable de algo distinto a lo que pienso?», me pregunté.

Pero me habló de mi padre, aunque sin nombrarlo.

—Una vez me dijo en broma: «Cásate con mi Mashenka.»

—¡Qué feliz sería ahora! —exclamé, apretando con fuerza su brazo.

—Entonces usted era una criatura —continuó, mirándome a los ojos.

Yo besaba sus ojos y los quería por el solo hecho de parecerse a los de él, sin pensar que llegarían a serme tan queridos por sí mismos. Entonces, la llamaba Masha.

—Hábleme de *tú*—dije.

—Precisamente pensaba hacerlo. Solo ahora me parece que eres mía del todo.

Y su mirada serena se detuvo en mí.

Avanzábamos por un estrecho sendero, a través de un campo de rastrojo pisoteado. Tan solo se oían nuestros pasos y nuestras voces.

A un lado, hasta el lejano bosque despojado, se extendía un campo rojizo. Un *mujik* llevaba su arado que iba trazando silenciosamente una franja negra, cada vez más ancha. A lo lejos, al pie de la montaña había unos caballos, pero daban la impresión de estar ahí mismo. Al otro lado y enfrente, hasta nuestro jardín, a través del cual se veía la casa, se divisaban algunas franjas verdes y negras en el campo otoñal. Los rayos templados del sol lo iluminaban todo; alrededor nuestro pululaban largas telarañas que caían sobre el rastrojo, reseco por la helada, sobre nuestro pelo y nuestros trajes, y se nos metían en los ojos.

El sonido de nuestras voces quedaba suspenso por encima de nosotros en el aire inmóvil, como si fuésemos los únicos seres del mundo, bajo aquel cielo azul en que brillaba el sol.

También yo quise hablarle de *tú*, pero me dio vergüenza.

—¿Por qué andas tan deprisa? —pronuncié rápidamente, casi en un susurro, y me enrojecí.

Serguei Mijáilovich acortó el paso y me miró con expresión alegre y cariñosa.

Cuando llegamos a casa, ya estaban allí su madre y los consabidos invitados. Desde que salimos de la iglesia y tomamos asiento en el coche para dirigirnos a Nikolskoie, no estuve ni un momento a solas con él.

La iglesia estaba casi vacía. Veía de rojo a la madre de Serguei Mijáilovich que permanecía en pie, erguida, sobre una alfombrita, al lado del coro; a Katia, con una toca de cintas moradas, que no podía contener las lágrimas, y a dos o tres siervos, que me examinaban con curiosidad. No miraba a Serguei Mijáilovich, pero notaba su presencia junto a mí. Escuchaba con atención las palabras del sacerdote y las repetía, sin que repercutiesen en mi alma. Incapaz de rezar, contemplaba los iconos, las velas, la cruz bordada en la casulla, el iconostasio y la ventana. No comprendía nada. Solo me daba cuenta de que algo extraño me ocurría. El sacerdote se volvió hacia nosotros, nos felicitó, recordó que me había bautizado y dijo que, por voluntad de Dios, también había tenido que casarme. Después, Katia y la madre de Serguei Mijáilovich nos besaron, y se oyó la voz de Grigori que llamaba el coche. Me asusté de que todo hubiera terminado ya y de que nada extraordinario hubiese ocurrido después de haber recibido en mi alma ese sacramento. Nos besamos, pero fue un beso extraño, ajeno a nuestros sentimientos. «Eso es todo», pensé.

Salimos al atrio, las ruedas del coche resonaron bajo la bóveda y el aire fresco nos azotó el rostro. Serguei Mijáilovich se puso el sombrero y, tomándome de la mano, me llevó al coche. Se sentó a mi lado cerrando tras de sí la portezuela. Por la ventanilla, vi la luna rodeada de un círculo. Me dio un vuelco el corazón, como si me hubiese ofendido el aplomo con que había hecho aquello. Katia gritó que me tapase la cabeza, chirriaron las ruedas por el empedrado, y salimos a un camino liso. Encogida en un rincón del coche, contemplaba los campos claros y el camino que huía bajo el frío resplandor de la luna. Sin mirar a Serguei, notaba su presencia junto a mí. «¿Solo esto me ha otorgado el momento del que tanto esperaba?», pensé, y me pareció humillante permanecer sentada tan cerca de él. Me volví, con intención de decirle algo. Pero no pude articular palabra; era como si hubiese desaparecido mi ternura de antes, sustituyéndose por la sensación de haber sido ofendida y por el miedo.

—Hasta ahora no creí que esto pudiera ocurrir —dijo en voz baja como respondiendo a mi mirada.

—No sé por qué tengo miedo —repliqué.

—¿Miedo de mí, querida? —exclamó Serguei Mijáilovich tomándome la mano e inclinándose sobre ella.

—Sí —murmuré.

En aquel momento mi corazón empezó a latir con más fuerza, mi mano tembló y apretó la suya, sentí calor y mis ojos buscaron los suyos en la penumbra. De pronto, noté que no le temía, que ese miedo era el amor, un amor más tierno y más fuerte que el de antes. Me di cuenta de que era suya. Era feliz porque tenía poder sobre mí.

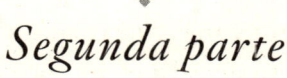

Segunda parte

*T*ranscurrieron dos meses sin que nos diéramos cuenta. *Sin embargo, los sentimientos, las inquietudes y la* felicidad de este lapso hubieran bastado para una vida entera.

Nuestra existencia en la aldea se desarrolló de un modo completamente distinto a como lo habíamos imaginado.

Pero no fue peor que nuestras ilusiones. No hubo trabajo difícil, cumplimiento del deber, ni sacrificio por el prójimo, como me había figurado cuando éramos novios. Al contrario, reinaba el amor recíproco egoísta, el deseo de ser amado, una continua alegría inmotivada y el olvido del resto del mundo. Cierto es que, a veces, Serguei Mijáilovich se encerraba en su despacho para trabajar, iba a la ciudad para resolver algunos asuntos o recorría la finca, pero yo me daba cuenta de que le apenaba mucho separarse de mí. Después me confesaba que todas las cosas que no tuviesen que ver conmigo le parecían absurdas y no comprendía cómo era posible ocuparse de ellas. A mí me sucedía lo mismo. Leía, tocaba el piano, me dedicaba a su madre y a la escuela, pero solo porque le agradaba a él que lo hiciera. Tan pronto como Serguei no tuviese que ver con alguno de esos quehaceres, me desalentaba y me parecía indigno pensar que existía en el mundo algo que no fuera él. Tal vez este sentimiento egoísta no fuera bueno, pero me hacía feliz porque me elevaba por encima del mundo. Solo Serguei existía para mí; lo consideraba como un hombre magnifico, el mejor de la tierra. Por eso no podía vivir más que para darle gusto y deseaba aparecer a sus ojos tal como me consideraba, es decir, como la mujer más perfecta del universo.

Una vez Serguei entró en mi habitación cuando estaba rezando. Lo miré sin interrumpirme. Para no molestarme, se sentó ante la mesa y abrió un libro. Me pareció que me miraba y me volví. Sonrió, me eché a reír y no pude continuar.

—Y tú, ¿has rezado ya? —le pregunté.

—Sí; continúa, me voy.

—Supongo que rezas, ¿verdad?

No contestó y quiso marcharse, pero lo retuve.

—¡Alma mía, por favor! ¡Hazlo por mí! Reza conmigo.

Se puso a mi lado y dejando caer torpemente los brazos, empezó a recitar las oraciones con expresión grave. A ratos se equivocaba y entonces se volvía hacia mí, buscando mi ayuda.

Cuando hubo terminado, lo abracé, riendo.

—¡Qué encantadora eres! ¡Me parece que he vuelto a mis diez años! —exclamó, enrojeciendo y besándome las manos.

Nuestro hogar era una vieja casa en que habían vivido, respetándose y queriéndose, varias generaciones. Todas las cosas hablaban de recuerdos familiares. Y tan pronto como me instalé allí pasaron también a ser recuerdos míos. El gobierno de la casa corría a cargo de Tatiana Semenovna, lo mismo que antes. No todo era elegante y bonito, pero los muebles eran cómodos; los alimentos, buenos, y estábamos bien servidos.

Los muebles del salón estaban simétricamente colocados; en las paredes había cuadros y en el suelo, alfombras y esteras de fabricación casera. En la sala había un viejo piano, dos cómodas de diferentes estilos, divanes y mesitas con incrustaciones de metal. En mi gabinete, que habían arreglado bajo la dirección de Tatiana Semenovna, se colocaron los mejores muebles. Eran de distintas épocas y estilos. Entre otras cosas, había un espejo en el que no podía mirarme sin sentirme intimidada. Sin embargo, con el tiempo me encariñé con ese espejo como con un viejo amigo.

No oíamos a Tatiana Semenovna, pero la casa marchaba como un reloj. Y eso que había demasiados criados. Todos llevaban zapatillas silenciosas y sin tacones, porque el ruido del calzado le molestaba más que nada en el mundo. Todos parecían estar orgullosos de su condición y temblaban ante la anciana señora. A mi marido y a mí nos miraban con cariño y aire protector, y cumplían su deber con verdadero gusto.

Todos los sábados se fregaban los suelos de la casa y se sacudían las alfombras; cada primero de mes se celebraban servicios religiosos y se bendecía el agua. Se organizaban grandes fiestas en la aldea para celebrar los santos de los tocayos de Tatiana Semenovna y de Serguei, y aquel otoño, por primera vez, del mío. Todo esto se hacía, siempre, igual, desde muchísimos años atrás, según recordaba Tatiana Semenovna. Mi marido no intervenía en el gobierno de la casa; solo se ocupaba de las faenas del campo y de los campesinos, lo cual le daba mucho que hacer. Incluso en invierno se levantaba muy temprano. Cuando me despertaba, había salido ya. Generalmente, solía volver a la hora del desayuno, que tomábamos solos. Casi siempre, a esa hora, después de sus preocupaciones y disgustos, se hallaba en esa disposición de ánimo que llamábamos *entusiasmo salvaje*. Con frecuencia le rogaba que me contase lo que había hecho por la mañana, pero Serguei me decía tales tonterías, que nos moríamos de risa. Si le instaba a que me hablase en serio, me obedecía conteniendo a duras penas una sonrisa. Miraba sus ojos y sus labios, que se movían, pero no me enteraba de nada. Me contentaba con verlo y oír su voz.

—Bueno, ¿qué te he contado? Repítelo —decía Serguei Mijáilovich.

Pero yo era incapaz de repetir nada.

Me daba risa de que me hablase de cosas que no le concernían a él ni a mí tampoco. ¡Como si nos tuviera sin cuidado cuanto pudiera suceder en la aldea! Solo mucho tiempo después empecé a comprender y a interesarme por sus asuntos.

Tatiana Semenovna tomaba el té en sus habitaciones y no salía de ellas hasta la hora de almorzar. Nos saludaba por medio de mensajes. En nuestro mundillo particular, extravagante y feliz, aquella voz que provenía de otro mundo, sensato, ordenado, sonaba de un modo tan raro que con frecuencia no podía contenerme y me echaba a reír en contestación a las preguntas de la doncella. Esta, con las manos cruzadas, me comunicaba que la señora le había mandado enterarse de cómo habíamos dormido después del paseo de la víspera y decirnos que le había dolido un costado y que un perro de la aldea no le había dejado dormir con sus ladridos. También preguntaba si me habían gustado las galletas y me informaba que no las había hecho Tarás, sino Nikolka. Era la primera vez que las hacía. A juicio suyo, le habían salido muy bien y asimismo las rosquillas; en cambio, los bizcochos estaban un poco quemados.

Hasta la hora de comer, Serguei y yo estábamos poco tiempo juntos. Yo tocaba el piano o leía, mientras él se ocupaba de la correspondencia y volvía a salir. A las cuatro, nos reuníamos en el comedor. Tatiana Semenovna emergía de sus habitaciones, y aparecían también las ancianas venidas a menos —siempre había dos o tres en casa— que vivían con nosotros. Según su antigua costumbre, mi marido ofrecía el brazo a su madre. Ella le exigía que me ofreciese el otro, de manera que todos los días, invariablemente, teníamos que apretujarnos para pasar por la puerta. Mamá presidía la mesa, y la conversación se mantenía en tono serio y un tanto solemne.

Pero las sencillas palabras que intercambiábamos mi marido y yo rompían la solemnidad de estas reuniones. A veces, el hijo y la madre discutían o se burlaban el uno del otro. Me gustaban particularmente esas ligeras burlas y discusiones porque expresaban la ternura del cariño que los unía.

Después de comer, *maman* se sentaba en una gran butaca del salón, desmenuzaba tabaco o cortaba las hojas de los libros recién recibidos, mientras nosotros leíamos en voz alta o nos íbamos a la sala, donde estaba el piano. Durante esa época leíamos mucho, pero la música era nuestro entretenimiento preferido, el que nos producía mayor placer, ya que despertaba nuevas fibras en nuestros corazones y parecía descubrirnos de nuevo el uno al otro.

Cuando interpretaba sus piezas preferidas, Serguei tomaba asiento en un diván alejado, donde apenas lo veía. Por una especie de pudor, procuraba ocultar la impresión que le producía la música; pero, con frecuencia, cuando menos lo esperaba, me acercaba a él, tratando de descubrir en su rostro y en sus ojos las huellas de la emoción.

A menudo, Tatiana Semenovna quería vernos mientras estábamos en el gabinete. Pero temiendo cohibirnos, sin duda, cruzaba la estancia con expresión seria e indiferente, simulando no mirar. Me constaba que no tenía ninguna necesidad de pasar por allí.

El té de la tarde lo servía yo misma en la sala grande, y de nuevo se reunían todos en torno a la mesa. Estas reuniones solemnes ante el majestuoso *samovar* me cohibieron durante mucho tiempo. Me imaginaba que no merecía ese honor, que era demasiado joven y superficial para manejar el grifo de un *samovar* tan enorme y para colocar el vaso sobre la bandeja que sostenía Nikita.

—Para Piotr Ivánovich, para María Minishna. ¿Está bastante dulce? —decía entregando terrones de azúcar a la *niania* y a las personas de respeto.

—Muy bien, muy bien —solía decir mi marido—, lo haces como si fueras una persona mayor...

Sus palabras me intimidaban aún más.

Después de tomar el té, *maman* hacía solitarios o escuchaba las predicciones de María Minishna; luego, nos besaba y bendecía a ambos y entonces nos retirábamos a nuestras habitaciones. La mayoría de las veces nos quedábamos levantados hasta más de medianoche. Era el rato mejor, el más agradable. Serguei me contaba su pasado, hacíamos proyectos y, a veces, filosofábamos. Siempre procurábamos hablar bajo para que no nos oyeran, porque Tatiana Semenovna quería que nos acostásemos temprano.

Algunas veces se nos abría el apetito; entonces íbamos silenciosamente al comedor, cogíamos algún manjar frío —con la ayuda de Nikita— y nos lo tomábamos a la luz de una vela en mi gabinete. Vivíamos como unos extraños en aquella casa, grande y vieja, en la que prevalecían las costumbres severas de antaño. No solo Tatiana Semenovna, sino hasta las ancianas venidas a menos, las criadas, los muebles y los cuadros me infundían temor, respeto y el convencimiento de que mi marido y yo no estábamos en nuestro ambiente. Por eso debíamos tener mucho cuidado.

Al recordarlo ahora, comprendo que aquel orden constante e invariable y aquellas gentes desocupadas y curiosas resultaban molestos, pero entonces, esa misma falta de libertad reavivaba nuestro amor. Ni Serguei ni yo dábamos muestras de que algo nos desagradaba. Al contrario, mi marido procuraba disimularlo.

El lacayo de Tatiana Semenovna, Dimitri Sidorov, gran fumador de pipa, iba a diario después de comer al gabinete de mi marido a coger tabaco de un cajón. Había que ver la expresión de miedo y alegría de Serguei Mijáilovich cuando se me acercaba de puntillas y, amenazándome con un dedo, señalaba a Dimitri Siderov, que no tenía la menor idea de que lo estábamos viendo. Y cuando este se iba, Serguei, satisfecho de que todo hubiese salido bien, como en las demás ocasiones, me besaba, encantado de mí.

A veces, esa tranquilidad y esa despreocupación me disgustaban y, como no me daba cuenta de que me sucedía lo mismo, lo consideraba como una debilidad.

«Parece un niño que no se atreve a imponer su voluntad», pensaba.

—¡Querida, qué cosas tienes! —exclamó Serguei en cierta ocasión en que le dije que me extrañaba su debilidad—. ¿Acaso se puede estar descontento de algo cuando se es tan feliz como yo? Es más fácil ceder que doblegar a los demás; hace mucho que me he convencido de eso. Además, no existe situación en la que uno no pueda ser feliz. ¡Nos va tan bien! No puedo enfadarme; en este momento no hay nada malo para mí, solo existe lo digno de lástima y lo divertido. Y lo que es más importante: *le mieux est l'ennemi du bien*. ¿Querrás creerme que cuando oigo la campanilla, recibo una carta o, sencillamente, cuando me despierto, tengo miedo? Tengo miedo porque es preciso vivir, porque algo puede cambiar, y porque pienso que nunca podremos estar mejor que ahora.

Creía en sus palabras, pero no llegaba a comprenderlo. Me encontraba a gusto y me parecía que todo debía ser y es siempre así para todos, y que tal vez existiera en algún lugar otra clase de felicidad, pero no mayor.

Así transcurrieron dos meses. Llegó el invierno con sus fríos y sus tormentas de nieve. A pesar de que Serguei estaba conmigo, empecé a sentirme sola, a darme cuenta de que la vida es una repetición y que no había en nosotros nada nuevo. Al contrario, parecía que volvíamos a lo antiguo.

Serguei Mijáilovich comenzó a ocuparse de sus asuntos, dejándome sola más tiempo que antes. De nuevo creí que en su alma había un mundo especial, en el que no quería dejarme entrar. Su continua tranquilidad me irritaba. Lo amaba como antes y era feliz con su cariño como al principio, pero mi amor se había detenido, no aumentaba. Un sentimiento nuevo, inquietante, empezaba a introducirse en mi alma. No me bastaba amarle después de haber tenido la suerte de enamorarme de él. Deseaba acción, y no el tranquilo discurrir de la vida. Tenía deseos de experimentar inquietudes, peligros y poder demostrar mi abnegación. Poseía un exceso de vitalidad y no encontraba modo de aplicarla en nuestra apacible existencia. A veces, me invadían ráfagas de tristeza, que trataba de ocultar a Serguei como si fuera algo malo; otras, arrebatos de ternura y alegría que le asustaban.

Mi marido se dio cuenta de mi estado de ánimo antes que yo, y me propuso que fuéramos a la ciudad. Pero le pedí que no cambiáramos nuestra vida, que no quebrantáramos nuestra dicha. En realidad, era feliz, pero me atormentaba la idea de que esta felicidad no me costase ningún esfuerzo, ningún sacrificio. Quería a Serguei y me daba cuenta de que lo constituía todo para él, pero deseaba que todos viesen nuestro amor, que me impidiesen amarlo, para seguir amándolo a pesar de todo. Mi inteligencia y mis sentimientos estaban satisfechos, pero mi juventud, que pedía acción, no se satisfacía con nuestra tranquila existencia. ¿Por qué me había dicho que podíamos ir a la ciudad tan pronto como yo quisiera? De no habérmelo propuesto, tal vez hubiera comprendido que lo que me atormentaba era absurdo, que el sacrificio que buscaba estaba allí mismo, ante mí, y consistía en ahogar ese sentimiento.

Me perseguía la idea de que solo podía librarme de la tristeza yendo a vivir a la ciudad; pero, por otra parte, me daba pena y vergüenza de que Serguei se alejase de lo que le gustaba por mi culpa.

El tiempo transcurría, la nieve iba amontonándose en torno a la casa, pero continuábamos solos, siempre solos, los mismos el uno ante el otro. Mientras que allá lejos, entre bullicio y resplandores, multitudes de gentes se afanaban, sufriendo y gozando, sin pensar en nosotros ni en nuestra existencia que se escapaba.

Lo peor era sentir que la costumbre nos encadenaba a una forma determinada de vida, que nuestro sentimiento dejaba de ser libre al someterse al correr del tiempo uniforme, sereno. Por la mañana estábamos alegres; al mediodía, dignos, y por la noche, tiernos.

«Es verdad —decía para mis adentros—; es bueno hacer el bien y vivir con rectitud como dice Serguei. Pero esas cosas pueden hacerse más adelante. En cambio, existe algo para lo que solo tengo fuerzas ahora.»

Quería luchar, necesitaba que el sentimiento nos guiase en la vida, en lugar de que la vida guiase nuestro sentimiento. Hubiera deseado acercarme a un precipicio y decir a Serguei: «Si doy un paso, caeré al fondo; basta un movimiento para que perezca», y que él, palideciendo, me cogiera entre sus fuertes brazos y me sostuviera por encima del abismo hasta que mi corazón dejara de latir.

Tal estado de ánimo repercutió en mi salud, y mis nervios empezaron a resentirse. Una mañana en que me encontraba peor que de costumbre, Serguei Mijáilovich volvió de la oficina del administrador malhumorado, lo cual ocurría muy pocas veces. Lo noté en seguida y le pregunté qué le sucedía. No quiso decírmelo pretextando que no merecía la pena. Según me enteré después, el jefe de Policía, mal predispuesto hacia mi marido, llamaba a nuestros *mujiks* y, bajo amenazas, les exigía tributos ilegales. Serguei no había podido tomar esto como una cosa lamentable o divertida. Estaba irritado y no quiso hablar conmigo. Me pareció que no me hablaba por considerarme una chiquilla incapaz de comprender sus preocupaciones. Le volví la espalda en silencio y mandé que viniera María Minishna para tomar el té con nosotros.

Después del té, que tomé más deprisa que de costumbre, llevé a María Minishna a la salita, y empecé a hablar con ella de una serie de tonterías que no me interesaban en absoluto. Serguei paseaba por la estancia y, de cuando en cuando, nos echaba una mirada. Esto me producía un efecto tan raro que cada vez sentía mayores deseos de hablar y de reír; todo me resultaba divertido, incluso mis propias palabras y las de María Minishna. Sin decirme nada, Serguei se fue a su despacho, cerrando la puerta tras de sí. En cuanto dejé de oírlo, desapareció mi alegría hasta el extremo de que María Minishna, extrañada, me preguntó qué me sucedía. Sin contestar, me senté en el diván a punto de estallar en sollozos.

«¿En qué estará pensando? En alguna tontería que se le antoja importante; si me la dijera, le demostraría que es absurda. Tiene necesidad de pensar que no lo comprenderé, tiene que humillarme con altivez y serenidad, y siempre ha de tener razón. Sin embargo, también yo tengo razón cuando me aburro y encuentro que esta vida es vacía; cuando quiero vivir y moverme, en lugar de permanecer tranquila viendo pasar el tiempo. Quiero ir hacia adelante y que cada día, cada hora, suceda algo nuevo; en cambio, Serguei quiere detenerse y detenerme a mí. ¡Con lo fácil que le resultaría! Para ello no debe llevarme a la ciudad, sino ser como yo, no doblegarse, ni contenerse, sino, en una palabra, vivir. Me aconseja que sea sencilla, pero él no lo es.»

Noté que se me saltaban las lágrimas; estaba irritada con Serguei. Me asusté de lo que me pasaba y fui a buscarlo. Estaba escribiendo. Al oír mis pasos me miró con naturalidad, y continuó. Esa mirada me fue desagradable; me acerqué a la mesa y empecé a hojear un libro. Serguei se detuvo, y volvió a mirarme.

—¿Estás de mal humor, Masha? —preguntó.

Contesté con una mirada fría que significaba: «¿Para qué me lo preguntas? ¡Qué amabilidad!» Movió la cabeza y sonrió con timidez y ternura.

Por primera vez, no contesté con una sonrisa a la suya.

—¿Qué te sucede? ¿Por qué no me lo dices? —exclamé.

—No tiene importancia. He tenido un pequeño disgusto. Ahora puedo contártelo. Dos *mujiks* fueron a la ciudad...

No lo dejé concluir.

—¿Por qué no me lo contaste cuando te lo pregunté?

—Hubiera dicho alguna tontería en aquel momento, estaba enfadado.

—Era entonces cuando debías habérmelo dicho.

—¿Por qué?

—¿Por qué tú crees que nunca puedo ayudarte en nada?

—¿Cómo? —exclamó Serguei, dejando la pluma—. Lo que creo es que no puedo vivir sin ti. No solo me ayudas, sino que todo se hace gracias a tu persona. No veo más que por tus ojos. Todo me parece bien con tal que estés a mi lado. Me haces falta...

—Ya sé, ya sé; soy una niña buena a la que es preciso tranquilizar —dije, en un tono que sorprendió a Serguei.

Me miró como si me viera por primera vez.

—No quiero tranquilidad, hay suficiente tranquilidad en ti. Tienes de sobra —exclamé.

—Bueno, verás, se trata de... —comenzó a explicarme apresuradamente, como para no dejarme hablar.

—Ahora no quiero saber nada —repliqué.

Tenía ganas de que me lo contara, pero quise alterarlo.

—No quiero jugar a la vida. Quiero vivir igual que tú —añadí.

Su rostro, que solía reflejar vivamente cualquier emoción, se tornó triste. Pareció redoblar su interés.

—Quiero vivir del mismo modo que tú... —insistí.

Pero no pude terminar al ver lo profundamente apenado que estaba. Permaneció callado unos segundos.

—¿En qué se diferencia tu manera de vivir de la mía? —preguntó—. En que soy yo y no tú quien tiene que tratar con el jefe de Policía y los *mujiks* borrachos...

—No solo en eso —repliqué.

—¡Por Dios, querida! ¡Compréndeme! —continuó Serguei—. Las preocupaciones nos hacen sufrir, la vida me lo ha demostrado. Te quiero y, por tanto, no puedo por menos de evitarte todo lo que constituye una preocupación. En mi vida hay un solo objetivo: quererte. Déjame, pues, que viva...

—¡Siempre tienes razón! —exclamé sin mirarle.

Estaba exacerbada porque de nuevo en su alma todo aparecía claro y sereno, mientras yo sentía despecho y algo así como arrepentimiento.

—Masha, ¿qué te ocurre? La cuestión no estriba en averiguar cuál de los dos tiene razón, sino en algo completamente distinto. ¿Qué tienes contra mí? No hables a la ligera; piénsalo bien y dime todo lo que piensas. Estás descontenta de mí, sin duda con razón, pero déjame comprender en qué soy culpable.

El hecho de que me hubiera comprendido con tanta rapidez, sentirme nuevamente como una criatura a su lado, no poder hacer nada sin que lo intuyese, me irritó aún más.

—No tengo nada contra ti —dije—. Me aburro y no quiero aburrirme, eso es todo. Pero dices que tiene que ser así, y vuelves a tener razón.

Al decir esto, lo miré. Había conseguido mi propósito: su serenidad había desaparecido. Su rostro reflejaba susto y dolor.

—Masha —comenzó a decir en voz baja y alterada—. No se trata de una broma. En este momento se decide nuestra suerte. Te ruego que me escuches sin interrumpirme. ¿Por qué me martirizas?

Sin embargo, lo interrumpí.

—Es mejor que no hables, tienes razón —dije fríamente, como si no fuera yo, sino un espíritu maligno el que hablase por mí.

—¡Si supieras lo que haces! —exclamó Serguei con voz temblorosa.

Me eché a llorar y eso me alivió. Me daba lástima de él, estaba avergonzada y pesarosa de lo que había hecho. Creí que me miraba con expresión severa o desconcertada. Me volví: su mirada era tierna, dulce, y parecía pedir perdón. Le cogí la mano, diciendo:

—¡Perdóname! No sé por qué he dicho eso...

—Yo sí lo sé; además has dicho la verdad.

—¿Cómo? —pregunté.

—Debemos ir a San Petersburgo. No tenemos nada que hacer aquí, ahora.

—Como quieras.

—¡Perdóname! Soy culpable ante ti —exclamó, abrazándome.

Aquella noche toqué el piano para Serguei, mientras él recorría la habitación murmurando algo. Tenía costumbre de hacerlo; a menudo le preguntaba qué decía. La mayoría de las veces recitaba versos, pero con frecuencia se limitaba a decir tonterías. Por ellas deducía su estado de ánimo.

—¿Qué estabas murmurando? —pregunté.

Se quedó pensativo; luego, sonriendo, me dijo estos dos versos de Lérmontov:

... ¡Oh desdichado! Anhela tormentas
como si en ellas estuviera la paz...

«Es un hombre extraordinario. Lo sabe todo —pensé—. ¡Sería imposible no quererle!»

Me levanté, le cogí del brazo y nos pusimos a pasear juntos, procurando pisar los dos al mismo tiempo.

—¿Sí? —preguntó, mirándome risueño.

—Sí —murmuré.

Nos invadió una gran alegría; nuestros ojos reían y nuestros pasos se hacían cada vez más grandes. Sin darnos cuenta, empezamos a andar de puntillas. De este modo, y con gran asombro de Grigori y de mamá, que hacía solitarios en el salón, cruzamos las habitaciones en dirección al comedor, donde nos detuvimos y nos miramos echándonos a reír.

A las dos semanas de aquello, poco antes de las fiestas, estábamos ya en San Petersburgo.

CAPÍTULO II

Nuestro viaje a San Petersburgo, la semana que pasamos en Moscú, las visitas a los parientes de Serguei y a los míos, la instalación en el piso nuevo, las nuevas ciudades y los rostros desconocidos, todo pasó como un sueño.

Todo resultaba tan alegre, tan divertido y acogedor, gracias a la presencia y al cariño de Serguei, que la vida tranquila de la aldea se me antojaba como algo remoto e insignificante. En lugar de la fría altivez que esperaba encontrar entre la alta sociedad, me sorprendió que por todas partes se me recibiera con verdadero cariño y simpatía. Tuve la impresión de que se me esperaba en los salones para sentirse a gusto.

Mi marido tenía muchos conocidos entre la buena sociedad, de los cuales nunca me había hablado; eso me pareció raro; también me disgustaron las severas críticas respecto de algunas de esas personas, que me parecían muy buenas. No podía comprender por qué las trataba con frialdad ni por qué procuraba rehuir nuevas amistades, que me hubieran agradado. Creía que cuanta más gente buena se conociese, era mejor y, a mi juicio, todos lo eran.

—No sé cómo nos las arreglaremos —me había dicho Serguei antes de marcharnos de la aldea—. Aquí somos unos pequeños cresos, mientras que allí no lo seremos. Podremos quedarnos en la capital solo hasta Semana Santa sin frecuentar la sociedad; de lo contrario, nos veríamos en un apuro. Además, no quisiera...

—¿Para qué necesitamos la sociedad? Nos contentaremos con visitar a los parientes, con ir al teatro y a la ópera, oír buena música y, antes de Semana Santa, regresaremos a la aldea.

Pero tan pronto como llegamos a San Petersburgo, esos proyectos quedaron olvidados. En ese mundo en que me encontré de repente, me embargó una alegría tal y conocí tantas cosas nuevas e interesantes que, inconscientemente, me desligué del pasado y de los propósitos que traíamos.

«Nuestra vida pasada era como un esbozo; esta es la verdadera vida. ¡Y Dios sabe cuántas más cosas habrá!», me decía.

La inquietud y el tedio que había empezado a sentir en la aldea desaparecieron como por encanto. Mi amor por Serguei se hizo más tranquilo y nunca se me ocurría pensar que me quería menos. No podía dudar de su cariño, ya que captaba inmediatamente cualquier pensamiento mío, compartía mis sentimientos y cumplía mis deseos. Su serenidad había desaparecido o, al menos, ya no me irritaba. Además, me daba cuenta de que no solo me quería como antes, sino que me admiraba. Con frecuencia, después de haber hecho una visita, de haber trabado un conocimiento o de haber recibido a alguien en casa, momentos en que temblaba por miedo a hacerlo mal, solía decirme: «¡Vaya con la niña! Puedes estar tranquila. Lo has hecho muy bien. Te lo aseguro.» Entonces me sentía muy contenta.

Poco después de nuestra llegada, Serguei escribió una carta a su madre y me llamó para que añadiese unas palabras. No quiso que la leyera, pero insistí hasta que me lo permitió.

«No vas a conocer a Masha —escribía—; ni yo mismo la reconozco. ¿De dónde habrá sacado esa graciosa desenvoltura, esa afabilidad y ese don de gentes? Todo en ella es sencillo, encantador, natural. Todos disfrutan con su presencia y yo no ceso de admirarla. Si fuera posible, la querría aún más.»

«¡Ah! De modo que soy así», pensé. Y me sentí tan contenta y satisfecha que me pareció quererlo más desde aquel momento.

Mi éxito entre nuestros conocidos fue verdaderamente inesperado para mí. De todas partes llovían alabanzas. Había gustado mucho a un tío de Serguei; una de sus tías estaba entusiasmada conmigo; alguien afirmaba que no existían mujeres como yo en San Petersburgo; otros me aseguraban que si lo deseara podía ser la persona más solicitada por la sociedad.

La princesa D——, una mujer mundana de cierta edad, prima de mi marido, se había prendado de mí. Me decía cosas tan halagüeñas, que se me subían a la cabeza. Cuando me invitó por primera vez a un baile y rogó a mi marido que me dejara ir, este se dirigió a mí y, sonriendo con picardía, me preguntó si yo lo deseaba. Moví la cabeza en señal de asentimiento y me di cuenta de que enrojecía.

—Confiesa que lo deseas como si fuese un crimen —comentó Serguei, riendo cariñosamente.

—Dijiste que no debíamos frecuentar la sociedad; además, a ti no te gusta—repliqué risueña, mirándole con ojos suplicantes.

—Si tienes muchos deseos de ir, iremos.

—Será mejor que no lo hagamos.

—¿Tienes muchos deseos de ir? —volvió a preguntar Serguei.

No contesté.

—La sociedad no es lo peor. Lo malo, lo feo, son los deseos ocultos. Pero es necesario que vayamos y es lo que haremos —concluyó con decisión.

—A decir verdad, no hay nada en el mundo que desee tanto —exclamé.

El placer que experimenté en el baile fue mucho mayor del que esperara. Tuve la impresión de ser el centro alrededor del cual se movía todo. Creí que aquella gran sala había sido iluminada solo para mí, que solo para mí tocaba la música y se había congregado aquel gentío. Todos, desde mi peluquero y mi doncella hasta los jóvenes que bailaban y los viejos que cruzaban la sala, parecían decirme que me querían. La prima de Serguei me transmitió la impresión que produje en la fiesta. Me habían considerado distinta a las demás mujeres, encontrando en mí algo extraordinario, sencillo, encantador. Este éxito me halagó tanto, que expresé a mi marido el deseo de asistir a otros dos o tres bailes, «para hartarme bien», añadí con hipocresía.

Serguei accedió gustoso y me acompañó con visible alegría, satisfecho de mis éxitos. Parecía haber olvidado lo que dijera anteriormente.

Pero poco tiempo después, aburrido sin duda de esa vida, empezó a mostrarse sombrío. Yo estaba demasiado entretenida para fijarme en eso, y si alguna vez me daba cuenta de su mirada de expresión grave e interrogante, no le concedía importancia.

Me embriagaba hasta tal punto el afecto que todos me mostraban y el ambiente alegre y lujoso en que me encontraba por primera vez en mi vida, que desapareció el ascendiente y la influencia moral que Serguei había ejercido sobre mí. Me agradaba el hecho de que, no solo podía igualarme a él, sino sentirme superior, por lo cual lo quería aún más y con mayor independencia que antes. Por eso no comprendía por qué le disgustaba que frecuentase la sociedad.

Experimentaba una sensación nueva de orgullo y suficiencia cuando, al llegar a un baile, todas las miradas se volvían hacia mí. En cambio, Serguei parecía avergonzarse de ser mi marido, y se daba prisa por abandonarme y perderse entre la multitud de fracs negros.

«Espera —pensaba a menudo buscando con la mirada su figura—. ¡Espera! En cuanto lleguemos a casa comprenderás por qué me esforzaba en lucirme y a quién quiero de entre los que me rodean esta noche.» Creía sinceramente que mis éxitos me alegraban tan solo por ofrendárselos. A mi juicio, lo único que podía serme perjudicial era que me sedujese alguno de mis admiradores y despertar los celos de mi marido. Pero Serguei tenía plena confianza en mí y se mostraba tranquilo y sereno. Por otra parte, todos aquellos jóvenes eran tan insignificantes en comparación con él, que ese peligro no era de temer.

Sin embargo, el hecho de que tantos hombres se fijasen en mí halagaba mi vanidad y me hacía pensar que amar a mi marido constituía un mérito. Debido a esto, empecé a tratarlo con displicencia.

—Te he visto hablando muy animadamente con N— — —le dije en cierta ocasión al volver de un baile.

Me refería a una dama muy conocida de San Petersburgo, con la cual Serguei había charlado aquella noche. Le había dicho eso para animarle porque estaba triste y silencioso.

—¿Por qué hablas así? ¿Cómo puedes decir eso, Masha? —repitió, haciendo una mueca como producida por un dolor físico—. Ni a ti ni a mí nos va hablar de este modo. Deja eso para los demás. Esas relaciones falsas pueden ser nocivas y aún tengo esperanzas de que vuelvan las de antes, las verdaderas.

Avergonzada, guardé silencio.

—¿Crees que volverán, Masha? ¿Qué te parece? —me preguntó.

—No tienen por qué volver. Todo sigue igual que siempre —dije, creyendo que así era en efecto.

—¡Dios lo quiera! —exclamó Serguei—. Si no, sería necesario volver a la aldea enseguida.

Habló así solo una vez. Por lo general, parecía encontrarse tan a gusto como yo, y yo estaba alegre y contenta.

«A ratos se aburre, pero también yo me he aburrido por culpa suya en la aldea. Nuestras relaciones han cambiado un poco, es verdad, pero todo se arreglará tan pronto como nos quedemos solos con Tatiana Semenovna en nuestra casa de Nikolskoie.»

El invierno transcurrió tan imperceptiblemente que, pese a nuestros planes, pasamos la Semana Santa en San Petersburgo. Después de Pascua Florida, nos preparamos para irnos. Todo estaba embalado ya. Solo faltaba que Serguei comprase algunos regalos y flores para nuestra casa de la aldea. Estaba muy contento y cariñoso conmigo. Inesperadamente su prima vino a vernos. Me rogó que nos quedásemos hasta el sábado para asistir a un sarao que daba la condesa R——. Esta tenía gran interés en que yo fuera porque el príncipe M——, de paso en San Petersburgo, deseaba conocerme. Había oído decir que yo era la mujer más bonita de la ciudad. Se reuniría la mejor sociedad en casa de la condesa, y no estaría bien que yo faltase.

Serguei estaba en el extremo opuesto del salón hablando con alguien.

—¿Entonces vendrá usted, Mary? —me preguntó su prima.

—Pensábamos marcharnos pasado mañana —respondí resueltamente, mirando a mi marido.

Nuestros ojos se encontraron, pero Serguei se volvió en seguida.

—Yo lo convenceré —dijo su prima—. Ya verá lo bien que lo vamos a pasar.

—Eso desbarataría nuestros planes; ya lo hemos empaquetado todo —repliqué, aunque empezaba a ceder.

—Lo mejor será que Masha vaya esta noche a presentar sus respetos al príncipe —exclamó mi marido desde el otro extremo de la estancia, con una irritación contenida, que nunca había visto en él.

—¡Oh! ¡Está celoso! ¡Jamás lo hubiera creído! —rio su prima—. No te lo pido por el príncipe, Serguei Mijáilovich, sino por todos nosotros. ¡La condesa R— — me ha suplicado tanto que lleve a Masha!

—Eso depende de ella —contestó fríamente Serguei, saliendo.

Me di cuenta de que estaba más excitado que de costumbre; eso me atormentó y no prometí nada a su prima. Tan pronto como esta se hubo marchado, fui a buscar a Serguei. Estaba recorriendo la habitación con aire pensativo. Entré de puntillas y ni me oyó siquiera.

«Sin duda piensa en la tranquila casa de Nikolskoie —me dije, mirándole—. El desayuno en el claro gabinete; los campos; los *mujiks*; las tardes en el salón y las cenas furtivas a la luz de la vela... Daría todos los bailes del mundo y las adulaciones de todos los príncipes de la tierra por su alegre risa y su cariño.

Quise decirle que no pensaba ir al baile si no lo deseaba, cuando, de pronto se volvió hacia mí con el ceño fruncido. La expresión tímida y pensativa de su rostro se transformó en otra, llena de agudeza, inteligencia y serenidad. No quería aparecer ante mí como un hombre corriente, sino como un semidiós en un pedestal.

—¿Qué hay, querida? —me preguntó con indolencia.

No le contesté. Me molestó que disimulase y no siguiera siendo tal y como yo le quería.

—¿Quieres ir al baile?

—Me hubiera gustado ir, pero a ti te desagrada. Además, las cosas están empaquetadas.

Nunca me había mirado ni me había hablado con tanta frialdad.

—No pienso marcharme hasta el martes; mandaré sacar las cosas —exclamó—. De modo que, si quieres, puedes ir. Sé buena y no dejes de ir.

Se puso a recorrer la habitación, con pasos desiguales, sin mirarme, como solía hacerlo cuando estaba alterado.

—No te comprendo —dije sin moverme y siguiéndole con la vista—. ¡Dices que eres muy tranquilo!

Nunca había dicho tal cosa.

—¿Por qué me hablas así entonces? ¿Por qué me hablas de una manera tan rara? Estoy dispuesta a sacrificar este placer por ti; en cambio, tú me exiges irónicamente que vaya.

—Eso está muy bien. Tú te *sacrificas* —dijo, recalcando especialmente esta palabra— y yo también. ¿Puede haber algo mejor? ¡Es una lucha de magnanimidad! ¿Qué más puede pedirse para la felicidad conyugal?

Era la primera vez que le oía pronunciar unas palabras tan duras e irónicas. Esto me ofendió sin intimidarme. ¿Era él quien hablaba así? ¿Él, que siempre había temido enturbiar nuestras relaciones con alguna palabra? ¿Y por qué? Porque yo había querido realmente sacrificar por él un placer, en el que no había nada malo. Nuestros papeles se habían trocado: Serguei rehuía la sinceridad y las palabras sencillas, ahora era yo quien las buscaba.

—Has cambiado mucho —dije, suspirando—. ¿En qué te he molestado? No es por la fiesta. Desde hace tiempo, tienes algo contra mí. ¿Por qué no eres sincero?

¿No defendías antes la sinceridad? Dime francamente lo que te pasa.

«Ahora me lo dirá», pensé con alegría, ya que no tenía nada que reprocharme.

Me adelanté hasta el centro de la habitación, de manera que tuviese que pasar cerca de mí, y lo miré.

«Vendrá a darme un abrazo y todo quedará resuelto», pensé. Y me entristeció pensar que no iba a tener ocasión de demostrarle que estaba equivocado.

Pero Serguei se detuvo en un extremo de la estancia, mirándome.

—¿Sigues sin comprender? —me preguntó.

—Desde luego.

—Pues te lo voy a explicar. Por primera vez me repugna lo que siento, pero no puedo por menos de sentirlo.

Se detuvo, sin duda asustado por el tono de su voz.

—¿Y qué más? —pregunté con lágrimas de despecho.

—Me repugna que, por el mero hecho de que el príncipe te considere bonita, corras a su encuentro, olvidándote de tu marido, de ti misma y de tu dignidad de mujer. No puedes comprender lo que experimento porque has perdido el sentido de la dignidad. Y encima vienes a decirme que te *sacrificas*, que sería una dicha para ti que te viera su alteza, pero que te *sacrificas*.

Cuanto más hablaba, más nervioso se ponía. Su propia voz, que resultaba venenosa, grosera, lo excitaba más por momentos. Nunca había visto así a Serguei. La sangre se me agolpó en el corazón. Sentí miedo, pero al mismo tiempo, aquella inmerecida vergüenza y el amor propio ofendido provocaron en mí deseos de venganza.

—Hace mucho que esperaba esto —dije—. ¡Sigue, sigue!

—No sé lo que esperabas tú —continuó Serguei—. Pero yo podía temer lo peor, viéndote constantemente rodeada de esa podredumbre, en medio de ese lujo estúpido. Y por fin ha llegado... Ha llegado lo que me avergüenza y me duele terriblemente. Me duele que esa amiga tuya haya hurgado con sus manos impuras en mi corazón, que haya hablado de mis celos. ¿Celos de quién? ¡De un hombre al que ni tú ni yo conocemos! Y, por si fuera poco, tú no quieres comprenderme y pretendes hacer sacrificios. Me da vergüenza por ti, me da vergüenza de tu humillación... ¡Y eres tú quien habla de sacrificios!

«¡He ahí el poder del marido! —pensé—. Ofender y humillar a una mujer, que no es culpable de nada. He ahí en lo que consiste su derecho, pero no me dejaré dominar.»

—No sacrifico nada por ti —exclamé, sintiendo que me ponía pálida—. ¡El sábado iré al baile! ¡Iré sin falta!

—Y quiera Dios que te diviertas mucho. ¡Pero todo ha terminado entre nosotros! —gritó Serguei en un arrebato—. Ya no volverás a atormentarme. He sido un tonto, porque si no... —le temblaron los labios e hizo un visible esfuerzo para no terminar la frase empezada.

Me dio miedo, sentí que le odiaba. En aquel momento hubiera querido decirle muchas cosas, vengarme de sus ofensas; pero de haber despegado los labios, me hubiera echado a llorar, rebajándome ante él. Salí de la habitación en silencio. Tan pronto como dejé de oír sus pasos, me horroricé de lo que habíamos hecho. Me espantó la idea de que se hubiera roto para siempre aquella unión que constituía mi única felicidad y quise volver. «¿Se habrá tranquilizado lo suficiente para comprenderme cuando le estreche la mano y le mire en silencio? ¿Comprenderá mi magnanimidad? ¿O creerá que mi pena es fingida? Tal vez, consciente de su derecho, acepte con orgullo mi arrepentimiento y me perdone. ¿Por qué me ha ofendido tan cruelmente, él, a quien he querido tanto?», me dije.

Pero no volví. Me retiré a mi habitación, donde permanecí mucho rato llorando. Recordaba horrorizada cada palabra de nuestra disputa. Luego me imaginé una conversación cariñosa y me asusté de nuevo, sintiéndome ofendida.

Por la tarde, cuando salí para tomar el té, me encontré con Serguei en presencia de S——, que había venido a vernos, y me di cuenta de que se había abierto un abismo entre nosotros. S—— me preguntó cuándo nos marchábamos. No me dio tiempo a contestar.

—El martes. Tenemos que ir al festejo de la condesa R—— —respondió mi marido—. Porque pensabas ir, ¿verdad? —añadió, volviéndose hacia mí.

Me sobrecogió el tono natural de su voz, y lo miré tímidamente. Tenía los ojos fijos en mí; su mirada era cruel y burlona; su voz, fría y tranquila.

—Sí —contesté.

Por la noche, cuando nos quedamos solos, Serguei se acercó a mí y me estrechó la mano.

—Por favor, olvida lo que te dije —murmuró.

Le tomé la mano. Una sonrisa apareció en mis labios temblorosos, y las lágrimas estuvieron a punto de saltárseme; pero Serguei se apartó, como si temiera una escena sentimental. Fue a sentarse en un sillón algo retirado de mí.

«¿Es posible que siga creyendo que tiene razón?», me pregunté. Pensaba darle una explicación e incluso rogarle que no fuéramos al baile, pero no fui capaz de pronunciar esas palabras.

—Hay que escribir a mamá para contarle que aplazamos el viaje —dijo Serguei—. De lo contrario, se va a preocupar.

—¿Cuándo quieres que nos vayamos?

—El martes, para poder asistir al convite.

—Supongo que no lo haces por mí —dije, mirándole.

Se limitó a sostener mi mirada; sus ojos no expresaban nada, era como si algo los velase. De pronto, su rostro me pareció envejecido y desagradable.

Fuimos a la fiesta y se restablecieron nuestras relaciones amistosas. Sin embargo, fueron completamente distintas a las de antes.

Durante la velada, permanecí sentada entre las damas. Cuando se me acercó el príncipe, tuve que levantarme para hablar con él. Y al ponerme en pie, busqué involuntariamente con los ojos a mi marido. Me observaba desde el otro extremo de la sala. Pero en aquel momento se volvió. De pronto, sentí tal pena y tal vergüenza, que me turbé intensamente. Mis mejillas y mi cuello enrojecieron bajo la mirada del príncipe. Pero no tuve más remedio que escuchar lo que me decía, y soportar que me admirase.

Nuestra conversación fue breve; no había sitio para que se sentase a mi lado, y, por otra parte, debió de darse cuenta de que me cohibía.

Comentamos el último baile, me preguntó dónde solíamos pasar el verano y, al separarse de mí, me dijo que deseaba conocer a mi marido. Luego los vi hablando en el extremo opuesto de la sala. El príncipe debió de decir algo referente a mí, porque, en medio de la conversación, se volvió risueño hacia donde me encontraba.

De pronto, Serguei enrojeció y después de hacer una inclinación se separó del príncipe. Me sentí avergonzada del concepto que este se habría formado de mí y, sobre todo, de mi marido. Me pareció que todos los presentes se habían fijado en mi turbación y también en la extraña actitud de Serguei. ¡Dios sabe cómo la interpretarían! Hasta se me pasó por la cabeza que tal vez estuviesen al tanto de nuestra disputa.

La prima de Serguei me acompañó a casa y, de camino, hablamos de él.

No pude contenerme y le conté lo ocurrido a causa de esa maldita fiesta. Me tranquilizó, diciendo que eso no significaba nada. Era un incidente sin importancia que no dejaría huellas. Me dijo que mi marido se había vuelto muy orgulloso y reservado. Le di la razón y me sentí aliviada. En aquel momento, creí comprender mejor a Serguei.

Pero luego, cuando me quedé sola con él, ese comentario me pesó sobre la conciencia como si se tratase de un crimen. Me di cuenta de que se había vuelto más profundo el abismo que nos separaba.

A partir de ese día, cambió nuestra vida. No nos encontrábamos a gusto estando solos, como antes. Rehuíamos algunos temas y cuando alguien estaba con nosotros, nos sentíamos mejor. En cuanto la conversación giraba sobre la vida de la aldea o sobre el baile, nos molestaba mirarnos. Era como si ambos nos diéramos cuenta del lugar en que estaba el precipicio que nos separaba y temiéramos acercarnos a él. Yo estaba convencida de que Serguei era orgulloso y pronto a la cólera y que era preciso tener cuidado de no exasperarlo. Él, por su parte, estaba persuadido de que yo no podía vivir sin frecuentar la sociedad, que la aldea no era un lugar para mí y que era preciso someterse a mis gustos. Evitábamos hablar de tales cosas y nos juzgábamos equivocadamente. Hacía mucho que habíamos dejado de ser unos seres perfectos el uno para el otro.

Nos comparábamos con otras personas y nos censurábamos.

Caí enferma poco antes de nuestra partida y, en lugar de irnos a la aldea fuimos directamente a la casa de verano. De allí, mi marido se marchó a ver a su madre. Yo estaba casi restablecida y hubiera podido acompañarlo, pero insistió en que me quedase, como temiendo por mi salud. Comprendí que no era eso lo que le preocupaba, sino el hecho de que no estaríamos a gusto en la aldea.

Sin Serguei me encontré sola y aburrida, pero cuando regresó, me di cuenta de que no añadía gran cosa a mi vida. Ya no era como antes, cuando el mero hecho de no comunicarle algún pensamiento o alguna impresión me parecía un crimen y me torturaba; cuando cualquier acto o palabra suya eran para mí modelos de perfección; cuando, al mirarnos, nos echábamos a reír alegremente sin motivo alguno. Todo esto había pasado insensiblemente, sin que nos diéramos cuenta. Tanto él como yo empezamos a tener nuestros intereses particulares, nuestras propias preocupaciones, que ya no tratábamos de hacer comunes. Incluso llegó a parecerme natural tener nuestro mundo aparte.

Desaparecieron los accesos de alegría de Serguei y su manera de ser infantil. Ya no me disculpaba como antes; ya no tenía esa serenidad que me irritara, ni esa profunda mirada que, en otro tiempo, me producía alegría y turbación. Ya no rezábamos juntos. Ni siquiera nos veíamos a menudo. Serguei viajaba continuamente y no temía ni lamentaba dejarme sola. Yo frecuentaba la sociedad, donde no lo necesitaba para nada.

Ya no había entre nosotros escenas ni discusiones; yo procuraba agradarle y Serguei cumplía todos mis deseos; vivíamos como si realmente nos quisiéramos.

Al quedarnos solos, lo que sucedía rara vez, no experimentaba alegría ni emoción; era como si estuviese sola.

Me constaba que no se trataba de un desconocido, sino de un hombre bueno que era mi marido, al que conocía tan bien como a mí misma. Sabía todo lo que iba a hacer, lo que iba a decir, y hasta cómo iba a mirarme. Y si hacía alguna de estas cosas de un modo distinto, pensaba que me había equivocado. No esperaba nada de él. Tenía la impresión de que así debía ser, que no suele ser de otra manera, y que nunca habían existido otra clase de relaciones entre nosotros.

Cuando Serguei se marchaba, sobre todo durante los primeros tiempos, me encontraba sola, tenía miedo, y comprendía mejor lo que significaba su apoyo. Cuando volvía, le echaba alegremente los brazos al cuello, pero al cabo de dos horas ya no tenía nada que decirle. Solo en los raros momentos de apacible ternura me parecía que faltaba algo, que algo no marchaba bien. Eso me oprimía el corazón, y se reflejaba también en los ojos de Serguei. Me daba cuenta de que había un punto en nuestra ternura que él no quería y yo no podía traspasar. A veces, esto me entristecía, pero me faltaba tiempo para pensar. Procuraba olvidarlo todo, entregándome a las diversiones. La vida de sociedad, que al principio me había deslumbrado por su brillo y por las adulaciones que halagaron mi amor propio, no tardó en adueñarse de mí. Llegó a encadenarme, ocupando en mi alma el espacio dedicado a los sentimientos. Nunca estaba sola y temía pensar en mi situación. Mi tiempo no me pertenecía, desde por la mañana hasta altas horas de la madrugada, aun cuando me quedaba en casa. Y eso no era divertido ni aburrido; tenía la impresión de que debía ser así.

De este modo transcurrieron tres años; nuestras relaciones continuaron siendo las mismas. Era como si se hubieran detenido, estancado, y no pudieran volverse mejores ni peores.

Durante esa época hubo dos importantes acontecimientos, pero ninguno de ellos modificó mi vida. Fueron el nacimiento de mi primer hijo y la muerte de Tatiana Semenovna. Al principio, el sentimiento maternal se apoderó de mí, produciéndome una alegría tan grande que creí iba a empezar una vida nueva. Pero, al cabo de dos meses, cuando empecé a salir, este sentimiento disminuyó gradualmente, y se transformó en una costumbre, en el mero cumplimiento de un deber. Por el contrario, mi marido volvió a ser el de antes; se mostraba dulce y tranquilo, y puso su antigua ternura en el niño. Con frecuencia, al entrar ataviada con vestido de noche en la habitación del pequeño para bendecirlo, encontraba allí a Serguei. Solía lanzarme una mirada severa, llena de reproche, que me avergonzaba. Súbitamente, me horrorizó mi propia indiferencia hacia el niño. «¿Será posible que sea peor que otras mujeres? ¿Qué debo hacer? Quiero a mi hijo; sin embargo, no puedo pasarme los días enteros con él. Eso me aburre, y no fingiré por nada del mundo», me dije un día.

La muerte de Tatiana Semenovna produjo un profundo dolor a Serguei, y le resultaba penoso vivir en Nikolskoie. Aunque compartía el sentimiento de mi marido, en aquella época me hubiera sido más grato estar en la aldea. Pasamos esos tres años en la ciudad; fui a la aldea tan solo en una ocasión, y me quedé allí dos meses seguidos.

El tercer año pasamos el verano en un balneario. Me imaginaba que nuestra situación económica era brillante; no exigía de la vida familiar más de lo que me daba;

todos cuantos me rodeaban parecían quererme; gozaba de buena salud; vestía mejor que las demás mujeres del balneario y sabía que era bonita. Disfrutábamos de un tiempo maravilloso. Estaba en un ambiente bello y elegante, y me sentía alegre.

No me encontraba tan a gusto como en Nikolskoie, cuando sentía la felicidad dentro de mí, cuando era feliz porque lo había merecido y deseaba serlo aún más. A la sazón era distinto. Sin embargo, también era dichosa. No quería ni esperaba nada, y mi conciencia parecía estar tranquila. Entre los hombres que se encontraban en el balneario, no había uno solo que distinguiese de los demás, ni siquiera al viejo príncipe K——, nuestro cónsul, que me hacía la corte. Unos eran jóvenes, otros de cierta edad; había ingleses y franceses, pero todos ellos me resultaban iguales y todos me resultaban prescindibles. Eran personas que formaban la alegre atmósfera que me rodeaba. Tan solo me fijé en un italiano, el marqués D——, por la manera en que me expresaba su admiración. No perdía ocasión de bailar ni montar a caballo conmigo, de acompañarme al casino, ni de repetirme que era bella. Lo veía a menudo desde nuestras ventanas, y la mirada fija y desagradable de sus brillantes ojos me obligaba a enrojecer y a volver la cabeza. Era joven, apuesto, elegante, y esto era lo principal. Su sonrisa y su frente tenían un cierto parecido con los de Serguei. Ese parecido era sorprendente, a pesar de que sus labios, su mirada y su larga barbilla denotaban una expresión tosca y animal, en vez de la encantadora expresión de bondad e idealismo de mi marido.

Me imaginaba que el italiano me amaba apasionadamente y, a veces, pensaba en él con altiva conmiseración. A veces quería tranquilizarlo y brindarle amistad y confianza, pero él rechazaba enérgicamente mis intentos. Continuaba turbándome de un modo desagradable, con su pasión callada, que podía manifestarse en cualquier momento. No me lo confesaba, pero la verdad era que temía a ese hombre; no obstante, en contra de mi voluntad, pensaba en él a menudo. Mi marido lo conocía. Su actitud hacia él era aún más fría y altiva que con otros conocidos nuestros.

A fines de temporada caí enferma y estuve dos semanas en casa. Salí por primera vez para asistir a un concierto; me enteré entonces de que durante mi enfermedad había llegado lady S — —, una mujer célebre por su belleza, a quien se esperaba desde hacía mucho. Aunque se me recibió con alegría y un considerable grupo de gente me rodeó en cuanto entré, era mayor el que se había formado alrededor de la recién llegada. Todos hablaban de su belleza. La encontré hermosa, en efecto, pero me desagradó su expresión de suficiencia, y no lo oculté. Aquel día encontré triste todo lo que antes me pareciera alegre. Al día siguiente lady S—— organizó una excursión al castillo, pero rechacé su invitación. Casi nadie quiso quedarse conmigo y todo cambió radicalmente ante mis ojos. Todos me resultaron estúpidos y aburridos; tuve ganas de llorar, y deseé que terminara pronto la temporada para volver a Rusia. En mi alma había un sentimiento malo, pero no quería confesármelo. Pretexté encontrarme débil, y desde aquel día dejé de frecuentar la sociedad. Únicamente salía alguna mañana para tomar las aguas o a pasear por los alrededores con L. M——, una amiga rusa.

Mi marido se había ido a Heidelberg, y venía a verme de cuando en cuando.

En cierta ocasión, lady S—— invitó a todos los veraneantes del balneario a una cacería. Pero L. M—— y yo no fuimos; y por la tarde visitamos el castillo. El coche rodaba despacio por una carretera sinuosa, entre castaños seculares, a través de los cuales se divisaban, cada vez a mayor distancia, los bonitos y elegantes alrededores de Baden iluminados por los rayos del sol poniente. Iniciamos una conversación seria, cosa que nunca habíamos hecho.

L. M——, a quien conocía desde hacía mucho, se me apareció por primera vez como una mujer buena e inteligente, con la cual se podía hablar de todo y cuya amistad resultaba grata. Hablamos de la vida familiar, de los niños y de lo vacía que era la existencia del balneario. Sentimos deseos de volver a Rusia, a la aldea, y nos invadió la nostalgia. Entramos en el castillo bajo la influencia de ese sentimiento. Dentro hacía fresco. El sol brillaba sobre las ruinas de la parte superior. Oímos pasos y voces a cierta distancia. Desde la puerta se veía, como dentro de un marco, la magnífica vista de Baden, que nosotras, por ser rusas, encontrábamos fría. Nos sentamos a descansar y contemplamos en silencio la puesta de sol. Se oyó hablar con más claridad y me pareció que habían pronunciado mi nombre. Presté atención y pude distinguir cada palabra. Eran el marqués D—— y un amigo suyo francés al que también conocía. Hablaban de mí y de lady S——. El francés nos comparaba y expresaba su opinión sobre la belleza de ambas. No decía nada ofensivo, pero al oírlo se me encogió el corazón. Explicaba detalladamente la diferencia que había entre ambas. Lady S—— solo tenía diecinueve años; en cambio, yo era madre ya; mi trenza era más bonita, pero ella tenía la cintura más graciosa y era muy distinguida. «Mientras que la suya —dijo— no es más que una de esas princesitas rusas que comienzan a verse con frecuencia por aquí.» Añadió que yo hacía bien no intentando competir con lady S——.

—Me da lástima de ella. A menos que quiera consolarse con usted —comentó, riendo cínicamente.

—Si se marcha, la seguiré —replicó en tono insolente el marqués con su acento italiano.

—¡Feliz mortal! ¡Todavía puede amar!

—¡Amar! —exclamó el italiano, y permaneció un rato silencioso—. ¡No puedo dejar de amar! Es lo único bueno de la vida. Convertir la vida en una novela es una de las mejores cosas. Y mis novelas nunca se detienen a la mitad; esta también la viviré hasta el final.

—*Bonne chance, mon ami* —dijo el francés.

No oímos más porque habían doblado la esquina. Al cabo de un momento, resonaron sus pasos en el otro extremo. Bajaron la escalera y unos minutos después aparecieron por una puerta lateral. Se extrañaron mucho al vernos. Enrojecí y sentí miedo cuando se me acercó el marqués y me ofreció el brazo para salir. Pero no pude negarme y nos dirigimos al coche en pos de L. M—— y del francés. Estaba ofendida por las palabras de este último, aunque conociese en mi fuero interno que sentía lo mismo. En cuanto a las del marqués, me habían extrañado y cohibido por su crudeza. Me resultaba desagradable que estuviese tan cerca de mí. No lo miraba ni le respondía y procuraba retirar mi brazo para no sentirlo. Me hablaba de aquella maravillosa vista, de la inesperada suerte de habernos encontrado y de otras cosas, pero yo no le hacía caso. Pensaba en mi marido, en mi hijo, en Rusia. Me sentía avergonzada; era como si echase algo de menos; tenía prisa por llegar a mi solitaria habitación del hotel de Baden. Deseaba estar sola para pensar en lo que embargaba mi alma. Pero L. M—— caminaba despacio. Estábamos aún lejos del coche y me pareció que mi acompañante acortaba el paso intencionadamente. «¡No puede ser!», me dije y, muy decidida, apreté el paso. Pero el marqués me retenía materialmente e incluso llegó a apretarme el brazo. L. M—— y el francés doblaron la esquina de la calle, y nos encontramos completamente solos. Sentí miedo.

—Perdone —dije con frialdad, procurando liberar mi brazo.

Pero el encaje de la manga se enredó en uno de sus botones.

Inclinado hacia mí, el marqués se puso a desenredarlo. Sus dedos me rozaron la mano. Una sensación nueva me recorrió la espalda. No hubiera podido decir si era de temor o agrado. Lo miré para manifestarle todo el desprecio que sentía por él, pero mis ojos no expresaron

eso, sino miedo y alteración. Los suyos, brillantes y hú-
medos, estaban muy cerca de mí; miraban con pasión mi
cara, mi cuello, mi pecho. Sus manos me sujetaban las
muñecas y su boca entreabierta pronunciaba algo. Dijo
que me amaba, que yo lo constituía todo para él. Sus
labios se acercaron a mí y sus manos, que me apretaron
con más fuerza, parecieron abrasarme. Por mis venas
corría fuego, se me nubló la vista y empecé a temblar de
pies a cabeza. Las palabras con que hubiera querido
aplacarlo se me quedaron en la garganta. De repente,
sentí un beso en la mejilla. Horrorizada, sin fuerzas para
hablar ni moverme, esperé. Todo esto sucedió en un
instante. ¡Pero fue horrible! Inmediatamente después,
vi su rostro tal y como era: su frente alta y despejada,
parecida a la de mi marido, asomaba bajo el sombrero;
su nariz recta y hermosa, con las ventanillas muy dilata-
das; su bigote de largas y afiladas guías, su barba, sus
mejillas bien rasuradas y su cuello tostado por el sol. Lo
odiaba y le tenía miedo; me era completamente ajeno,
pero en aquel momento repercutió intensamente en mí
su pasión. Sentí unos deseos invencibles de abandonarme
a los besos de esa boca firme y hermosa, a las caricias de
aquellas manos blancas, surcadas por delgadas venas,
de dedos ensortijados. Deseé arrojarme a aquel abismo de
placeres prohibidos que se abría de pronto ante mí.

«¡Soy tan desgraciada! ¡Qué me importa que recaigan más desgracias sobre mí!»

Me abrazó, inclinándose hacia mi rostro.

«Que caigan la vergüenza y el pecado sobre mi cabeza.»

—*Je vous aime* —susurró con una voz que se parecía mucho a la de mi marido.

Me acordé de Serguei y de mi hijo como de unos seres a los que había querido y con los que había terminado para siempre. Pero, de repente, se oyó desde la esquina la voz de L. M——, que me llamaba. Me recobré, libré mi mano y, sin mirar al marqués, me fui casi corriendo. Nos sentamos en el coche y solo entonces le dirigí la vista. Se había quitado el sombrero y me preguntaba algo, sonriendo. No se daba cuenta de la invencible repugnancia que me producía.

Mi vida se me apareció sin aliciente alguno; el porvenir, falto de esperanzas, negro el pasado. L. M—— me dijo algo, pero no comprendí sus palabras. Creí que lo hacía solo por lástima, por ocultar el desprecio que le inspiraba. Cada palabra y cada mirada suya se me antojaban llenas de desprecio y de una conmiseración ofensiva. Aquel beso me quemaba la mejilla. Me resultaba imposible pensar en mi marido y en el niño.

Cuando llegué al hotel, quise analizar mi situación, pero me dio miedo de estar sola. Antes de acabar de

tomar el té y, sin saber por qué, empecé a hacer febril-
mente las maletas y a prepararme para tomar el tren de
Heidelberg que salía por la noche. Quería reunirme con
Serguei.

Después de acomodarme con la doncella en el vagón
vacío, cuando el tren se puso en marcha y el aire fresco
que entraba por la ventanilla me azotó el rostro, se me
representó claramente el pasado y el porvenir. Mi vida
de casada, desde que llegamos a San Petersburgo, surgió
ante mí bajo otro aspecto y fue como un reproche para
mi conciencia. Recordé la primera época de nuestra
existencia en la aldea, nuestros planes, y por primera vez
formulé esta pregunta:

«¿De qué alegrías ha disfrutado Serguei en los últimos tiempos?»

Y me sentí culpable ante él.

«¿Por qué no me había contenido? ¿Por qué fingía?
¿Por qué no había querido que nos explicáramos y me
había ofendido? ¿Por qué no había empleado el poder
de su cariño? ¿O es que no me quería?», me preguntaba.

Pero, por muy culpable que fuera Serguei, me atormentaba sentir la quemazón del beso de un desconocido
en la mejilla. Cuanto más cerca estábamos de Heidelberg, tanto mejor me imaginaba a mi marido y más me
asustaba nuestro próximo encuentro.

«Se lo diré todo. Lloraré ante él con lágrimas de arrepentimiento y me perdonará», pensé.

Pero ni yo misma sabía lo que significaba «todo», ni creía que iba a perdonarme.

En cuanto entré en la habitación de Serguei y lo vi tan tranquilo como siempre, aunque extrañado, me di cuenta de que no debía decirle nada, ni pedirle perdón. Mi desgracia y mi arrepentimiento debían quedar en mí.

—¿Cómo se te ha ocurrido venir? Pensaba ir a verte mañana —me dijo, pero al ver mi rostro de cerca, pareció asustarse—. ¿Qué tienes? ¿Qué te pasa? —exclamó.

—Nada —contesté, conteniendo a duras penas las lágrimas—. He dejado aquello para siempre. Volvamos a casa mañana mismo.

Serguei guardó silencio durante largo rato, mirándome significativamente.

—Bueno, pero cuéntame lo que ha ocurrido —dijo.

Me ruboricé y bajé la vista. En su mirada brillaba la ira y la indignación. Me asusté de las cosas que podía pensar y, con un disimulo que no esperaba de mí misma, dije:

—No ha pasado nada; me sentí triste y aburrida por estar sola. He pensado mucho en ti y en nuestra vida. ¡Hace tanto tiempo que soy culpable! ¿Por qué me permites estar donde no te gusta que esté? Hace mucho que soy culpable —repetí, y de nuevo las lágrimas asomaron a mis ojos—. Volvamos a la aldea para siempre.

—¡Masha querida! Líbrame de esas escenas sentimentales —exclamó con frialdad—. Me parece bien que quieras ir a la aldea porque tenemos poco dinero. Pero eso de que sea para siempre es una ilusión. Sé que no te acostumbrarás. Toma una taza de té, te sentará bien —concluyó levantándose para llamar al camarero.

Me imaginé lo que podía pensar, y me sentí ofendida cuando me encontré con su mirada dubitativa y avergonzada. «¡No! ¡No quiere ni puede comprenderme!» Dije que iba a ver al niño y salí. Quería estar sola y llorar...

El viejo caserón, deshabitado desde hacía tanto tiempo, revivió, pero no revivió lo que había vivido en él. Tatiana Semenovna no existía ya, y nosotros nos hallábamos solos el uno frente al otro. Pero no solamente no nos era necesaria la soledad, sino que hasta nos cohibía. El invierno transcurrió mal. Estuve enferma y mejoré solo después del nacimiento de mi segundo hijo. Las relaciones con mi marido seguían siendo amistosas, aunque frías, como durante nuestra vida en la ciudad. Pero en la aldea, cada tabla del suelo, cada rincón, el diván mismo, todo me recordaba lo que Serguei había sido para mí, y lo que había perdido. Era como si hubiese entre nosotros una ofensa no perdonada, como si Serguei me castigase por algo y, al mismo tiempo, fingiese no saber nada. No había motivo para pedir perdón, no había nada que perdonar. Serguei me castigaba no entregándose a mí por completo, con toda su alma, como antes. Pero la verdad es que no se la entregaba a nadie; era como si no la tuviese ya. A veces, creía que se mostraba así únicamente para martirizarme, que todavía conservaba vivos los sentimientos de antaño, y hacía todo lo posible por despertarlos. Mas él parecía evitar todo movimiento de sinceridad, como sospechando que yo fingía; temía cualquier manifestación de sensibilidad como si fuera algo ridículo.

Su mirada y el tono de su voz decían: «Lo sé todo, lo sé todo, no es necesario hablar, sé todo cuanto quieres decir. Tampoco ignoro que dirás una cosa y harás otra.»

Al principio me ofendía ese temor suyo a la sinceridad, pero luego me acostumbré a la idea de que no era eso, sino que simplemente no necesitaba ser sincero. Y ya no me atrevía a decirle que lo quería, ni pedirle que leyese las oraciones conmigo, ni que me escuchase cuando tocaba el piano. Se habían establecido entre nosotros determinados convencionalismos. Cada cual vivíamos nuestra vida. Serguei, con sus ocupaciones en las que yo no debía ni quería participar; yo, con mi ociosidad, que no le molestaba ni entristecía como antes. Los niños eran todavía muy pequeños para unirnos.

Pero llegó la primavera. Katia y Sonia vinieron a pasar el verano en la aldea. Estaban reconstruyendo nuestra casa de Nikolskoie, y tuvimos que trasladarnos a Pokrovskoie. Allí, la vieja casa seguía como siempre, la terraza con su mesa plegable, el piano en el claro salón y mi cuarto de blancos visillos, en el que había tenido tantos sueños cuando era muchacha y aparentemente había olvidado. En esa habitación había dos camitas: una de ellas había sido mía. Por las noches, bendecía al rollizo Kokoshka, que dormía en una de ellas, y a Vania, aún en pañales, al que acostaba en la otra. Después de bendecidos, con frecuencia me quedaba en medio de la silenciosa habitación. De repente, de todos los rincones, de las paredes y de las cortinas, surgían viejas y olvidadas visiones de la juventud. Voces antiguas empezaban a entonar las canciones de los años juveniles. ¿Dónde están esas visiones, esos pensamientos, esas dulces canciones? Se había cumplido todo lo que apenas me había atrevido a esperar. Los pensamientos confusos se habían convertido en realidad, pero esta se había trocado en una vida difícil y exenta de alegría.

Y todo seguía igual: a través de la ventana se veía el mismo jardín, la misma plazoleta, el mismo sendero, el mismo banco, las mismas lilas en flor y la misma luna que brillaba iluminando la casa. Se oían también los mismos trinos de los ruiseñores que llegaban desde el estanque. Sin embargo, ¡todo había cambiado tanto! ¡Era increíble, horroroso! ¡Todo aquello que podía ser familiar y querido resultaba tan frío!

Igual que antes, Katia y yo solíamos quedarnos en el silencioso salón, hablando de Serguei Mijáilovich. Pero Katia tenía arrugas, estaba amarilla, sus ojos no brillaban de esperanza y alegría, sino que expresaban compasión y pena. No admirábamos a Serguei Mijáilovich como antes; lo censurábamos y ya no nos preguntábamos sorprendidas por qué éramos felices, ni queríamos, como antaño, compartir nuestros pensamientos con todo el mundo; conversábamos en voz baja, como unas conspiradoras, y nos preguntábamos por centésima vez por qué todo había cambiado tan tristemente.

Serguei Mijáilovich seguía siendo el mismo; solo la arruga de su entrecejo se había vuelto más profunda y su atenta mirada aparecía velada siempre que la dirigía a mí. Yo también seguía siendo la misma, pero el amor no existía en mí, no deseaba el amor. No sentía necesidad de trabajar, estaba insatisfecha conmigo misma. Y me parecían lejanos, imposibles, los arrebatos religiosos de antaño, mi amor hacia Serguei y aquella sensación de plenitud que me embargaba. Ahora no podría comprender lo que entonces me parecía claro y justo: vivir para los demás. ¿Con qué objeto? Ahora quería vivir para mí misma.

Desde nuestro traslado a San Petersburgo, había abandonado la música por completo, pero ahora me atraía de nuevo el viejo piano y las antiguas piezas musicales.

Un día me encontraba indispuesta y me quedé sola en casa. Katia y Sonia se habían ido con Serguei a Nikolskoie para ver las nuevas obras. La mesa del té estaba puesta; bajé al salón y, mientras los esperaba, me senté al piano. Abrí la sonata *Quasi una fantasia* y me puse a tocar. No se veía ni se oía a nadie; las ventanas del jardín estaban abiertas; los conocidos acordes, tristes y majestuosos, se extendieron por la estancia. Al terminar la primera parte, siguiendo la antigua costumbre, me volví inconscientemente a mirar el rincón donde Serguei solía sentarse a escucharme. Pero no estaba. La silla seguía en su sitio, inmóvil desde hacía mucho. Por la ventana se veía el matorral de lilas bañado por el sol poniente y penetraba el frescor del atardecer. Me apoyé en el piano, oculté la cara entre las manos y empecé a pensar. Permanecí así mucho tiempo, recordando el pasado y pensando con miedo en el porvenir. Pero era como si delante no hubiera nada, como si no desease ni esperase nada.

«¿Es posible que haya pasado ya toda mi vida?», pensé horrorizada, levantando la cabeza. Para distraerme y no pensar, me puse a tocar de nuevo el *andante*.

«¡Dios mío, perdóname si soy culpable! ¡Devuélveme lo que era tan bueno para mi alma, enséñame lo que debo hacer y cómo debo vivir ahora!»

En aquel momento, oí rodar un coche por la hierba, y luego resonaron en la entrada unos pasos suaves que me eran familiares. Pero no despertaron el sentimiento de antaño. Cuando terminé de tocar, los pasos se acercaron a mí, y una mano se posó sobre mi hombro.

—¡Qué buena idea has tenido de tocar esta sonata! —exclamó Serguei.

Permanecí callada.

—¿Has tomado el té?

Contesté que no, moviendo la cabeza. No me volví hacia él para que no viese las huellas de la emoción en mi rostro.

—No tardarán en llegar. Vienen andando por la carretera, porque se encabritó el caballo.

—Vamos a esperarlas —propuse, saliendo a la terraza.

Creí que me seguiría, pero preguntó por los niños y subió a verlos.

Su presencia y su voz tranquila y agradable me hicieron pensar de nuevo que era yo quien lo había estropeado todo. ¿Qué más hubiera podido desear? Serguei era un hombre delicado, buen marido y padre. Me senté bajo el toldo, en el mismo banco en que estuviéramos el día de nuestra explicación.

El sol se había puesto ya, comenzaba a oscurecer y una nube primaveral flotaba por encima de la casa y del jardín. A través de los árboles se vislumbraba, sin embargo, el cielo despejado con el lucero vespertino. La ligera sombra de la nube lo envolvía todo, y todo parecía esperar una serena lluvia de primavera. Había cesado el viento, no se movía una sola hoja, ni una brizna de hierba; el olor de las lilas y de los cerezos silvestres era tan intenso que el aire estaba impregnado por doquier; daban ganas de cerrar los ojos y no ver ni oír nada, disfrutando tan solo de ese dulce perfume. Las peonias y los rosales, aún sin florecer, se erguían inmóviles por encima de la negra tierra labrada, como si se elevasen despacio, hacia arriba, por sus blancos puntales; las ranas croaban como aprovechando el último momento que quedaba antes que empezase a llover, y a su croar se unía un rumor de agua. Los ruiseñores lanzaban trinos y se les oía volar de un lugar a otro. También esta primavera uno de ellos solía albergarse en un matorral bajo la ventana. Cuando salí a la terraza, echó a volar en dirección a la alameda; desde allí lanzó un solo trino y enmudeció como si también esperara algo.

En vano trataba de tranquilizarme. Serguei bajó de las habitaciones y se sentó a mi lado.

—Me parece que se van a mojar —dijo.

—Es verdad —asentí.

Permanecimos callados mucho rato.

La nube se cernía cada vez más bajo; todo se volvía más silencioso y fragante; de pronto cayó una gota sobre la lona de la terraza, otra fue a estrellarse en la grava del sendero y en breve muchas gotas, frescas y grandes, tamborilearon sobre las plantas. Los ruiseñores y las ranas enmudecieron por completo, solo se percibía el ruido cristalino del agua, aunque, a causa de la lluvia, parecía más lejano. Un pájaro oculto entre el follaje, no lejos de la terraza, lanzaba trinos en dos tonos, a intervalos regulares.

Serguei se levantó, disponiéndose a salir.

—¿Adónde vas? —pregunté, reteniéndole—. Se está muy bien aquí.

—Hay que mandarles un paraguas y los chanclos —contestó.

—No es preciso, enseguida dejará de llover.

Nos quedamos al lado de la barandilla. Me apoyé en el húmedo y escurridizo travesaño y asomé la cabeza. Una lluvia fresca empezó a caerme sobre la cabeza y el cuello. La nubecilla había descargado. De nuevo se oyó croar las ranas y trinar los ruiseñores, que se llamaban unos a otros aquí y allá.

—¡Qué bien se está! —dijo Serguei Mijáilovich, apoyándose en la barandilla y pasándome la mano por los cabellos mojados.

Esta sencilla caricia me hizo la impresión de un reproche, y sentí deseos de llorar.

—¿Qué más puede desear un hombre? Estoy tan contento que no necesito nada más. ¡Soy completamente feliz!

«No me hablabas así de tu felicidad en otro tiempo. Por grande que fuese, siempre deseabas algo más. Ahora, en cambio, cuando en mi alma hay una especie de arrepentimiento no confesado y sollozos contenidos, ahora es cuando estás tranquilo y contento», pensé.

—También yo me encuentro a gusto —dije—, pero estoy triste precisamente porque a mi alrededor todo marcha tan bien. En mi fuero interno todo es confuso, incompleto; siempre deseo algo; y, en cambio, aquí todo es tan sereno y maravilloso. ¿No sientes una mezcla de placer y de añoranza al contemplar la naturaleza, como si anhelaras cosas imposibles y sintieras pena por algo que ya pasó?

Quitó la mano de mi cabeza y guardó silencio durante un rato.

—A mí también me sucedía esto antes, sobre todo en primavera —dijo como recordando—. Pasaba noches enteras sin dormir, deseando y esperando algo. ¡Qué noches, Dios mío!... Pero entonces todo estaba por delante; ahora, en cambio, todo ha quedado atrás. Ahora me conformo con lo que tengo y estoy bien —concluyó con tal firmeza que, aunque me dolió oír esas palabras, creí que decía la verdad.

—¿Y no deseas nada?

—Nada imposible —contestó, adivinando mi pensamiento—. Te estás mojando la cabeza —añadió mientras pasaba la mano por mis cabellos y me acariciaba como a una criatura—. Envidias a las hojas y a la hierba porque reciben la lluvia; quisieras ser hoja, hierba, lluvia. Yo, en cambio, las admiro como todo lo bueno, lo joven, lo afortunado de la tierra.

—¿No añoras nada del pasado? —insistí, con el corazón oprimido.

Ensimismado, Serguei volvió a guardar silencio. Comprendí que quería contestarme con absoluta sinceridad.

—No —exclamó al fin, lacónicamente.

—¡No es verdad! ¡No es verdad! —repliqué, volviéndome hacia él y mirándole a los ojos—. ¿No añoras el pasado?

—¡No! —repitió—. Le estoy agradecido, pero no deseo que vuelva.

—¿No desearías que volviera?

Serguei volvió la cabeza y se puso a mirar al jardín.

—No; como tampoco deseo que me crezcan alas —exclamó—. Es imposible.

—¿Y no quisieras cambiar el pasado? ¿No te reprochas ni me reprochas nada?

—¡Nada! Todo cuanto ha ocurrido ha sido para mejor.

—Escucha —dije, tocándole la mano para que se volviera a mí—. Escucha, ¿por qué no me dijiste nunca que querías que viviera según tu deseo? ¿Por qué me has dado una libertad de la que no he sabido disfrutar? ¿Por qué dejaste de enseñarme? Si me hubieras llevado de otra manera, nada hubiera sucedido —continué con un tono de voz que expresaba frialdad y despecho, y no el amor de antaño.

—¿Qué es lo que no hubiera pasado? —preguntó sorprendido, volviéndose hacia mí—. Así tampoco ha pasado nada. Todo está muy bien, muy bien —añadió con una sonrisa.

«Tal vez no me comprenda o, lo que es peor, tal vez no quiera comprenderme», pensé, y las lágrimas brotaron de mis ojos.

—Pues que, sin ser culpable ante ti, me castigues con tu indiferencia e incluso con tu desprecio... —dije de pronto—. Y que, sin ser culpable de nada, me hayas quitado todo cuanto me era querido.

—¡Qué cosas tienes, alma mía! —exclamó Serguei, como si no comprendiera mis palabras.

—Déjame terminar... Me has retirado tu confianza, tu amor, incluso el respeto. No puedo creer que me ames después de lo que ha habido. Debo decir de una vez todo lo que me mortifica desde hace mucho tiempo. ¿Acaso tenía yo la culpa de no conocer la vida? ¿De que me hayas dejado sola buscando el camino?... ¿Acaso tengo la culpa de que ahora que he comprendido lo que hace falta, ahora que va a hacer un año que lucho por volver a ti, me rechaces como si no supieses lo que quiero? Y lo haces de un modo que no se te puede reprochar nada; en cambio, yo soy desgraciada, y parece que tengo la culpa de algo. Quieres obligarme a volver a aquella vida, que podía haber hecho tu desgracia y la mía.

—Pero ¿qué pruebas tienes de ello? —preguntó Serguei sinceramente asustado y sorprendido.

—¿No decías ayer mismo, lo dices continuamente, que no me acostumbraré a vivir aquí, que en invierno tendremos que ir a San Petersburgo, a ese San Petersburgo que odio? En vez de ayudarme, rehúyes toda manifestación de sinceridad, toda palabra tierna y delicada. Y después, el día que caiga, vendrás a hacerme reproches y a alegrarte de mi caída.

—¡Calla! ¡Calla! ¡No está bien lo que dices! —explicó fríamente—. Eso demuestra que estás mal predispuesta contra mí, que no...

—¿Que no te quiero? —apunté—. ¡Venga, dilo! ¡Dilo! —añadí.

Y las lágrimas corrieron por mis mejillas.

Me senté en el banco y me cubrí la cara con el pañuelo.

«Así es como me comprende —pensé, procurando contener el llanto que me ahogaba—. Vuestro antiguo amor ha terminado», dijo una voz en mi corazón.

No se acercó a mí ni me tranquilizó.

—No sé qué me reprochas —empezó diciendo en un tono frío y sereno—. ¿Acaso que no te quiero como al principio...?

—¡Como al principio! —exclamé a través del pañuelo que se impregnó de amargas lágrimas.

—La culpa es del tiempo y de nosotros mismos. Cada época tiene su amor...

Después de un breve silencio, continuó:

—¿Quieres que te diga la verdad? ¿Quieres que realmente sea sincero? El año que te conocí pasaba noches enteras sin dormir, pensando en ti, creando mi amor y viendo cómo crecía. Estando en San Petersburgo he pasado noches horribles en que quería destrozar ese amor que constituía mi tortura. Pero no lo he destrozado; solo destruí la parte que me torturaba. Ahora estoy tranquilo y sigo queriéndote, aunque de una forma distinta.

—Tú llamas amor a eso, pero, en realidad, es un martirio. ¿Por qué me permitiste frecuentar la sociedad si te parecía tan peligrosa y si por esa razón has dejado de quererme?

—No se trata de la sociedad, querida mía.

—¿Por qué no empleaste tu poder? —continué—. ¿Por qué no me ataste? ¿Por qué no me has quitado la vida? Hubiera sido mejor para mí que perder todo lo que constituía mi felicidad. Al menos, no tendría que avergonzarme.

Rompí en sollozos y me tapé la cara.

En aquel momento, entraron en la terraza Sonia y Katia. Venían empapadas por la lluvia, hablando en voz alta y riendo muy alegremente. Pero, al vernos, callaron y salieron en seguida.

Permanecimos largo rato en silencio. Después de haber llorado, me sentí algo aliviada. Miré a Serguei. Estaba sentado con la cabeza apoyada en las manos.

Quiso decir algo en respuesta a mi mirada, pero se limitó a suspirar profundamente.

Me acerqué a él y le aparté las manos. Sus ojos pensativos se fijaron en mí. Empezó a hablar como si continuara el hilo de sus pensamientos.

—A todos nosotros, y en particular a vosotras, las mujeres, os hace falta vivir todo lo absurdo de la vida para volver a la verdadera vida. No se puede creer a otro. Entonces no habías vivido aún esa época maravillosa, pero absurda. No te impedí que la vivieras; me daba cuenta de que no tenía derecho a hacerlo. Pero hacía mucho que había pasado para mí.

—¿Por qué, si me quieres, me permitiste que la viviera?

—Porque no hubieras podido creerme; tenías que conocerla por ti misma, y así ha sido.

—Has reflexionado mucho —dije—. Pero has amado poco.

Nos quedamos callados.

—Es cruel lo que acabas de decirme, pero no deja de ser verdad —exclamó de pronto, levantándose, y empezó a pasear por la terraza—. ¡Sí, es verdad! ¡Yo he tenido la culpa! —añadió, deteniéndose frente a mí—. No debía haberme permitido amarte en absoluto o haberte amado de un modo más sencillo.

—Olvidemos todo eso —dije tímidamente.

—Lo pasado no volverá, no volverá nunca.

La voz de Serguei se dulcificó al pronunciar estas palabras.

—Todo ha vuelto ya —exclamé, poniéndole una mano sobre el hombro.

Me cogió la mano y la estrechó.

—No he sido sincero diciendo que no echo de menos el pasado. ¡Ya lo creo que lo echo de menos! Lloro por aquel amor que ya no existe, ni puede volver nunca más. ¿Quién tiene la culpa de eso? No lo sé. El amor continúa, pero no es el de entonces; el lugar en que estaba se conserva, aunque ya carece de fuerza y de savia. Han quedado los recuerdos, la gratitud. Sin embargo...

—No hables de este modo —le interrumpí—. Todo ha de volver. Puede ser, ¿verdad? —pregunté mirándole a los ojos.

Pero sus ojos, serenos, tranquilos, no miraban profundamente a los míos. Mientras pronuncié esas palabras, comprendí que mi deseo era imposible, que lo que quería no podría ser. Serguei sonrió apaciblemente.

—¡Qué joven eres todavía y qué viejo soy yo! —exclamó—. En mí no hay ya lo que buscas. ¿Para qué engañarnos? —añadió sonriente lo mismo que antes.

De pie a su lado, empezaba a serenarme.

—No intentemos repetir la vida —prosiguió—. No nos engañemos. Demos gracias a Dios por no tener ya las inquietudes y emociones de antaño. No tenemos que buscar nada, ni debemos inquietarnos. Hemos encontrado lo nuestro y nos ha correspondido bastante felicidad. Ahora es preciso que nos esfumemos, cediendo el paso a este —dijo señalando a Vania, que la nodriza traía en brazos—. Así es, querida mía —concluyó, atrayéndome y besándome en la cabeza.

No era el beso de un amante, sino el de un viejo amigo.

Del jardín llegaba la fresca fragancia nocturna; los sonidos y el silencio se tornaban más solemnes y cada vez aparecían más estrellas en el cielo.

Miré a Serguei y, de pronto, sentí un gran alivio en el alma; era como si me hubieran extirpado aquel doloroso nervio moral que me había hecho sufrir tanto. Comprendí claramente que el sentimiento de antaño no podía volver, como tampoco podía volver aquella época. Era una cosa imposible y, es más, de haber vuelto, hubiera sido penoso y molesto. Además, ¿había sido realmente tan feliz aquella época como me figuraba? ¡Había pasado tanto tiempo!

—Bueno, es hora de tomar el té —dijo Serguei.

Nos dirigimos al salón. En la puerta nos encontramos con la nodriza, que llevaba a Vania en brazos. Lo cogí, le tapé los piececitos encarnados, lo estreché contra mí y lo besé, rozándolo apenas con los labios. En sueños, movió la mano con los deditos separados y abrió los ojos, como buscando o recordando algo. De pronto sus ojillos se detuvieron en mí, brilló en ellos la chispa del entendimiento, y en su boca de labios gordezuelos apareció una sonrisa.

«¡Es mío, mío, mío!», pensé. Me sentí feliz. Con los miembros en tensión, lo estreché contra mi pecho y tuve que contenerme para no hacerle daño. Cubrí de besos sus piececitos fríos, su cuerpecito, sus manos y su cabeza, que apenas tenía pelo.

Mi marido se acercó a mí; tapé rápidamente la cara del niño y volví a destaparla.

—¡Iván Sergueievich! —pronunció Serguei, tocándole la barbilla con un dedo.

Entonces cubrí de nuevo a Iván Sergueievich. Nadie excepto yo debía mirarle largo rato. Miré a mi marido; sus ojos, fijos en los míos, reían. Por primera vez después de mucho tiempo me resultó agradable contemplar esos ojos.

Ese día terminó mi novela con Serguei. Los antiguos sentimientos se tornaron queridos y se convirtieron en recuerdos irrevocables; pero el sentimiento nuevo del cariño hacia los hijos y hacia su padre inició una vida nueva y feliz, completamente distinta, que no he terminado de vivir en el momento actual...

LEV TOLSTOI TERMINÓ DE ESCRIBIR ESTA
HISTORIA EN ABRIL DE 1859, EN SU FINCA
RURAL DE YÁSNAYA POLIANA, REFUGIO
ESPIRITUAL Y CREATIVO QUE TANTAS
OBRAS MAESTRAS INSPIRARÍA.

PEQUEÑOS TESOROS DE LA LITERATURA
Título original: *Seméynoye schástiye*
Autor: Lev Tolstoi

© 2023 RBA Coleccionables, S.A.U.
© 2023 RBA Editores Argentina, S.R.L.

© de la traducción: Irene Andresco y Laura Andresco, 2004.

Ilustración de cubierta: Cristina Serrat
Diseño de cubierta y de interior: Luz de la Mora
Realización editorial: Edixec Ediciones

ISBN (OC): 978-84-1149-551-6
ISBN (Libro): 978-84-1149-739-8
Depósito legal: B 17056-2023

Impreso por Black Print CPI Ibérica, S.L.
Impreso en España – *Printed in Spain*

Para Argentina:
Editada, Publicada e importada por RBA EDICIONES ARGENTINA S.R.L.
Av. Córdoba 950 5º Piso "A". C.A.B.A.
Distribuye en C.A.B.A y C.B.A.: Brihet e Hijos S.A., Agustín Magaldi 1448 C.A.B.A.
Tel.: (11) 4301-3601. Mail: ventas@brihet.com.ar
Distribuye en Interior: Distribuidora General de Publicaciones S.A., Alvarado 2118 C.A.B.A.
Tel.: (11) 4301-9970. Mail: circulacion@dgpsa.com.ar

Para Chile:
Importado y distribuido por: El Mercurio S.A.P., Avenida Santa María N° 5542,
Comuna de Vitacura, Santiago, Chile

Para México:
Editada, publicada e importada por RBA Editores México, S. de R.L. de C.V.
Av. Patriotismo 229, piso 8, Col. San Pedro de los Pinos, CP 03800, Alcaldía Benito Juárez,
Ciudad de México, México
Fecha primera publicación en México: enero 2024.
ISBN (Obra completa): en trámite.
ISBN (Libro): en trámite

Para Perú:
Edita RBA COLECCIONABLES, S.A.U., Avenida Diagonal, 189. 08019 Barcelona. España.
Distribuye en Perú: PRUNI SAC RUC 20602184065
Av. Nicolás Ayllón 2925 Local 16A El Agustino. CP Lima 15022 - Perú
Tlf. (511) 441-1008. Mail: pedidos@pruni.pe